LITERATURA HISPÁNICA
DE
FÁCIL LECTURA

Cuentos escogidos

Leopoldo Alas *Clarín*

Textos adaptados por
Ana Roca Gadea, Adrián Valenciano Cerezo,
Arantxa Ojea Cano, Alicia de la Antonia Montoro,
Mónica Souto González, Elena Seoane Leal,
José Manuel Ruiz Fernández

Adaptación supervisada por
Grupo UAM-Fácil Lectura

Colección *Literatura hispánica de fácil lectura*

Dirección:
Alberto Anula

Consejo Editor:
Alberto Anula Rebollo
Marina Fernández Lagunilla
Teodosio Fernández Rodríguez
José Portolés Lázaro
Almudena Revilla Guijarro
Florencio Sevilla Arroyo

Primera edición, 2013

Produce:
SGEL – Educación
Avda. Valdelaparra, 29
28108 Alcobendas (MADRID)

Diseño de colección y maquetación:
Alexandre Lourdel

Ilustraciones:
Alfredo «Saeta» Hernando Torres

ISBN: 978-84-9778-372-9

Depósito legal: M-7914-2013

Imprime: ROGAR

ÍNDICE

CARACTERÍSTICAS DE LA COLECCIÓN

Los *Textos de la literatura hispánica de fácil lectura* de SGEL y el Grupo UAM-Fácil Lectura (GUAMFL) tratan de hacer accesibles las obras más importantes de la literatura hispánica a los estudiantes de español como lengua extranjera o segunda lengua. La adaptación de los textos se ajusta a las capacidades de comprensión lectora señaladas en los niveles de referencia propuestos en el *Marco Común Europeo de Referencia para las Lenguas* (MCER) y en el *Plan Curricular del Instituto Cervantes* (PCIC). Además, ha sido realizada de acuerdo con los criterios de facilitación de la lectura y la comprensión lectora desarrollados por el GUAMFL.

Los textos se distribuyen en tres niveles y las adaptaciones se ajustan a las características descritas en la tabla de la página siguiente.

La adaptación de las obras respeta el estilo del autor, el argumento de la obra y la interpretación textual de la crítica contemporánea. Las circunstancias propias de cada adaptación, cuando existen, se recogen en el apartado «Criterios de adaptación de esta obra». La ortografía se ha modernizado siempre.

Cada obra contiene notas léxicas, fraseológicas y de índole cultural, además de un glosario con las palabras de frecuencia moderada traducidas a distintos idiomas. Las palabras o las expresiones de frecuencia baja aparecen siempre anotadas a pie de página. Contiene también una serie amplia y diversa de actividades de comprensión lectora (con su apartado de soluciones correspondientes). El libro se completa con una breve presentación del autor y la obra, y una serie de propuestas encaminadas a profundizar en el conocimiento de la obra adaptada.

El texto de la obra presenta el siguiente signo diacrítico:
* Señala una palabra o expresión recogida en el Glosario.

NIVEL	LÉXICO	GRAMÁTICA Y DISCURSO
BÁSICO	500-1200 palabras léxicas diferentes de muy alta o alta frecuencia de uso (un 10 % del léxico puede ser de frecuencia notable, moderada y baja).	Nivel A2 del PCIC. Se utiliza preferentemente el orden oracional sujeto-verbo-objeto y se limita la cantidad y complejidad de las estructuras subordinadas. La media de la longitud oracional no excede de las 15 palabras.
INTERMEDIO	1200-2000 palabras léxicas diferentes de frecuencia muy alta, alta y notable (un 10 % del léxico puede ser de frecuencia moderada y baja).	Nivel B1 del PCIC. Se limita la complejidad de las estructuras subordinadas. La media de la longitud oracional no excede de las 20 palabras.
AVANZADO	2000-3000 palabras léxicas diferentes de frecuencia muy alta, alta, notable y moderada (un 10 % del léxico puede ser de frecuencia baja).	Nivel B2 del PCIC (aunque se permiten algunas construcciones sintácticas y estrategias pragmáticas del nivel C1). La adaptación es fiel al texto original y se limita a actualizar la sintaxis. La media de la longitud oracional puede exceder de las 20 palabras.

NOTA El nivel de frecuencia de las palabras se ha establecido a partir del indicador de frecuencia de uso que tienen las voces en el *Diccionario de Uso del Español Actual* (SGEL) y de la frecuencia de uso que alcanzan las palabras en el Corpus CREA de la Real Academia Española, una vez aplicados los cálculos estadísticos necesarios para establecer las equivalencias entre ambas fuentes.

NOTA A LA PRESENTE EDICIÓN

Durante el otoño de 2010 tuve la oportunidad de dirigir y desarrollar el Seminario *Leer y Adaptar a los Clásicos* en los Institutos Cervantes de Pekín, Tokio, Nueva Delhi, Estambul y El Cairo. El seminario contaba con el auspicio de la Dirección General de Política e Industrias Culturales del Ministerio de Cultura y la colaboración de los Institutos Cervantes mencionados y de la Universidad Autónoma de Madrid. El seminario se incluía en el marco de la celebración del *2010 Año Internacional de Acercamiento de las Culturas* proclamado por la Unesco y el programa de actividades de la *Alianza de Civilizaciones*.

El Seminario tenía por objetivo formar a los profesores de español como segunda lengua, a bibliotecarios y a gestores culturales en la creación de materiales adaptados para la lectura de textos clásicos conforme a los niveles del Plan Curricular del Instituto Cervantes.

Este volumen de *Cuentos escogidos* de Leopoldo Alas *Clarín* es el resultado del desarrollo del seminario en el Instituto Cervantes de Estambul, en el que participaron alrededor de veinte profesionales ligados a la enseñanza del español como L2 (profesores del Instituto Cervantes y de la Universidad de Estambul, bibliotecarios, etc.). Quiero dar las gracias a todos ellos y muy especialmente a Alicia de la Antonia Montoro, Arantxa Ojea Cano, Ana Roca Gadea, José Manuel Ruiz Fernández, Elena Seoane Leal, Mónica Souto González y Adrián Valenciano Cerezo, los autores de las adaptaciones de los cuentos que presentamos en esta edición. Mi agradecimiento se extiende a los responsables de los

Institutos Cervantes de Pekín, Tokio, Nueva Delhi, Estambul y El Cairo, que contribuyeron a que las jornadas del Seminario se desarrollaran con éxito.

Alberto ANULA
Universidad Autónoma de Madrid
Director de la Colección *Biblioteca Hispánica de Fácil Lectura*

EL AUTOR

Leopoldo Alas *Clarín* nació en Zamora en 1852. Desde muy joven manifestó una gran afición por la literatura y habilidades para el periodismo, pero se licenció en Derecho. Alcanzó el título de doctor y trabajó en las universidades de Zaragoza y Oviedo como profesor. Escribía en su tiempo libre y colaboraba regularmente con importantes periódicos. Utilizó por primera vez el seudónimo *Clarín,* para firmar un artículo en el periódico *El solfeo*. Murió en Oviedo en 1901.

LA OBRA

Su obra es una de las más importantes de la literatura española del siglo XIX. Pertenece a la corriente naturalista y presenta algunos rasgos satíricos. Su obra maestra es la novela *La Regenta,* publicada en 1885. Otros títulos importantes de Clarín son la novela *Su único hijo* (1890) y algunos libros de cuentos y narraciones cortas, como *El Señor y lo demás son cuentos* (1893) y la colección *Cuentos morales* (1896). Fue un destacado crítico literario —*La literatura en 1881* (1882)— y escritor de artículos —*Solos de Clarín* (1881)—. También escribió una obra teatral llamada *Teresa* (1895).

Los cuentos de Clarín son importantes por su valor literario, histórico y social. Son realistas y reflejan la vida y los valores de su época. En ellos se denuncian las injusticias y la falta de consideración que sufrían los más humildes. También se trata de educar al lector, destacando las actitudes y los comportamientos correctos que todos deberían seguir. Con Clarín comienza la tradición del cuento moderno en España, que deja de considerarse un género menor y gana valor literario.

SELECCIÓN DE LOS CUENTOS

Adentrarse en la obra literaria de Clarín para escoger algunos de sus cuentos no ha sido tarea fácil. En la selección de relatos que conforman este volumen hemos querido mostrar una parte de ese singular universo del autor de *La Regenta* poblado por personajes de humilde condición sometidos a los dictados de sus circunstancias personales, sociales o históricas.

En *La conversión de Chiripa* vemos como un pobre desahuciado,[1] por pura casualidad, en honor a[2] su nombre, comienza una nueva vida espiritual y material al abrigo de[3] la Iglesia. En *El Torso* comprobamos que el esplendor moral destaca por encima de la decadencia física, de la destrucción del cuerpo. En *La reina Margarita* y en *La Ronca,* dos actrices secundarias se debaten con su profesión y con la vida con desigual resultado. Los protagonistas de *Un viejo verde, Un jornalero* y *El sustituto* son ejemplos y víctimas de su condición social. El primero, un burgués, sufre el desprecio de una dama. El segundo, un sabio distraído, es fusilado como revolucionario. El ter-

[1] *Desahuciado:* que ha sido obligado a dejar la vivienda por no poder pagarla.

[2] *En honor a:* en homenaje o en memoria de alguien o algo.

[3] *Al abrigo de:* bajo la protección de.

cero, el hijo mayor de una familia pobre, muere como soldado en una guerra a la que ha ido como sustituto del hijo de un rico para salvar a su madre y sus hermanos de la miseria aunque, después, el hijo del terrateniente sustituirá al fallecido y ocupará su lugar, ejerciendo de verdadero poeta épico.

En todos estos relatos asoma, desde distintos ángulos, el retrato vivo de la España de finales del siglo XIX, que tan magistralmente pintó Clarín. Destaca en ellos una intención social evidente, así como un evidente amor por los débiles. Estos son dos de los rasgos que hemos tenido en cuenta para esta primera selección de cuentos de Clarín.

I

LA CONVERSIÓN DE CHIRIPA

Llovía a cántaros.[1] Un fuerte viento barría el mundo, dejaba las calles desiertas y convertía el agua que caía de las nubes en látigos.* No servía de nada protegerse en los portales,* porque el viento y el agua los invadían. La tormenta había sorprendido a Chiripa en el Gran Parque, tendido en un banco de madera. Primero se había refugiado* bajo un árbol. Después había subido al quiosco[2] de la música. Sin embargo, pronto le echó de allí a latigazo limpio el agua traidora* que le golpeaba de lado con sus frías serpientes de cristal. El sombrero, duro y viejo, tenía forma de queso. Sus pies, llenos de barro, parecían raíces de árbol cuando los levantaba del suelo. Sí, Chiripa parecía un pobre árbol del que colgaban pobres ropas puestas a… mojarse, o un espantapájaros[3] que andaba y corría huyendo de la lluvia.

---

[1] *Llovía a cántaros:* llovía mucho y con mucha fuerza.

[2] *Quiosco:* espacio cubierto, pero abierto por todos sus lados, que hay en parques o jardines y que se utiliza para celebrar conciertos y otros actos públicos.

[3] *Espantapájaros:* muñeco con forma humana que se pone en los campos para alejar a los pájaros de los cultivos.

Chiripa tenía cuarenta años. Había trabajado como mozo de cordel[4] y no tenía mucho dinero. Aquella mañana le habían echado del pequeño cuarto donde dormía. Se habían cansado de sus escándalos nocturnos y de que no pagara su habitación.

—Bueno, peor para ellos —pensó Chiripa sin saber lo que decía. Y se tumbó en el banco del paseo público.

Los economistas dicen que la ley del trabajo es tener cubiertas las necesidades con el mínimo esfuerzo. Para Chiripa, la cuestión del mínimo esfuerzo era lo principal. Era muy distraído[5] y bastante borracho; dormía mucho; se alimentaba de comida fría y mucho vino tinto. Se vestía con ropas ya inútiles para otros pobres como él. Orgulloso de tener pocos gastos, trabajaba pocas veces y cuando una peseta[6] era absolutamente necesaria.

Un día vio pasar una manifestación de obreros que llevaban un cartel que decía: ¡Ocho horas de trabajo! Chiripa, temblando, pensó:

—¡Dios, ocho horas de trabajo; y para eso tanto ruido! Yo tengo suficiente con ocho horas de trabajo durante todo el verano, cuando hay más trabajo porque llegan los bañistas.[7]

Con un poco de dinero en el bolsillo, Chiripa no podía levantar una maleta, ni apenas mantenerse derecho. Pero su valor para resistir el hambre y el frío era heroico.*

Generalmente andaba callado, triste. Creía en su mala suerte. No recordaba su apellido. Creía que su nombre era Bernardo, aunque no estaba seguro. Le llamaban Chiripa[8] desde niño, pero no sabía por qué. Igual que los perros no saben por qué los llaman Nelson o

---

[4] *Mozo de cordel:* antiguamente, hombre que se ponía una cuerda al hombro y era contratado en lugares públicos para transportar cosas.

[5] *Distraído:* que no presta atención.

[6] *Peseta:* moneda española desde 1869 hasta 2002.

[7] *Bañistas:* personas que van a una playa o a una piscina para bañarse.

[8] *Chiripa:* suerte, casualidad favorable.

Muley. Quizá por sus gracias infantiles, pero ya nadie las recordaba. Parecía que los vecinos del pueblo, al envejecer,[9] ya no estuvieran para bromas.

«¡Bah! El mundo era malo; y si te vi, no me acuerdo». Veía pasar, llenos de canas,* a los señoritos que antes se reían de sus gracias y le pagaban sus vicios juveniles. Pero él no les pedía nada, porque no querrían ni reconocerle.

Estaba solo en la tierra, lo sabía bien. A veces pensaba que un periódico, o un libro viejo y usado sería un buen amigo para él. Pero no sabía leer. No sabía nada. Se acercaba a la esquina de la plaza, donde otros fingían* esperar trabajo. Oía, silencioso, conversaciones sobre política o cuestiones sociales. Nunca daba su opinión, pero la tenía. La principal era considerar un gran error pedir ocho horas de trabajo. Para oír disparates* prefería que le leyeran los periódicos. Entonces hacía más caso. Aquello tenía más sentido. Pero tampoco los periódicos decían lo más importante. Todos se quejaban de que se ganaba poco. Todos decían que no era suficiente para las necesidades... Exageraban. ¡Si fueran como él, que vivía con muy poco!

Chiripa pensaba como un filósofo callejero y a su modo de vivir lo llamaba alternancia.[10] ¿Qué era la alternancia? Pues nada; Cristo había hablado de ella, según había oído algunas veces. Aquel Cristo a quien él llenaba de injurias;[11] no por mala intención, sino por hablar como hablaban los demás, y blasfemar[12] como todos. La alternancia era el buen trato, la entrada libre en todas partes, vivir mano a

---

[9] *Envejecer:* hacerse viejo.

[10] *Alternancia:* durante el periodo de la Restauración (1875-1902), sistema político basado en la sucesión en el poder del Partido Liberal y del Partido Conservador. Chiripa la usa con el sentido de «trato», «vida social».

[11] *Injurias:* insultos, ofensas.

[12] *Blasfemar:* decir palabras o expresiones que molestan y ofenden a lo que se considera sagrado.

mano[13] con los señores, saber leer y escribir, entrar en el teatro, aunque no se tuviera dinero. La alternancia era no prohibir la entrada en los sitios calientes y agradables al pobre, solo por ser pobre. Si no era posible que todos tuviéramos el mismo dinero, y que cada persona vistiera con dignidad y con ropa nueva... ¿por qué no se establecía la igualdad en todo lo demás, en aquello que podía hacerse sin gastos? Por ejemplo, llamarse de tú[14] ricos y pobres; enseñar cada uno lo que supiera a los pobres; saludarlos con el sombrero; dejar que se sentaran junto al fuego; dejarles ser diputados y obispos... En resumen, disfrutar de la buena vida sin molestar a los demás y lavándose la cara, a veces, si fuera necesario. Eso era la alternancia. Él creía que eso era el cristianismo y la democracia. Eso debía ser el socialismo... como la misma palabra decía... cosa de sociedad, de trato, de juntarse... de alternancia.

Salió muy rápido del quiosco, hecho una sopa.[15] Entró en el pueblo para buscar dónde protegerse. Pero todo estaba cerrado. Por lo menos cerrado para él. Pasó junto a un café: no se atrevió a entrar. El café era público, pero los mozos echarían a Chiripa en cuanto lo vieran tan sucio y sin dinero. A un mozo de cordel con trabajo le dejarían entrar. Pero él era ahora un pordiosero.[16]

---

[13] *Mano a mano:* en compañía, con confianza y familiaridad.

[14] *Llamarse de tú:* hablarse utilizando «tú» en lugar de «usted».

[15] *Hecho una sopa:* que se ha mojado mucho con el agua.

[16] *Pordiosero:* persona de aspecto pobre que pide dinero, comida u otras cosas en lugares públicos.

Pasó junto a la universidad. No pensó en entrar allí. Él no sabía leer y allí dentro todos eran sabios. También le echarían. Pasó junto a la Audiencia,[17] pero no era hora de oír a los testigos falsos; esa era la única razón digna que justificaría su presencia allí. En ese lugar había jurado varias veces decir la verdad, como testigo falso; y, en efecto, siempre había dicho la verdad... de aquello que le habían mandado decir. Se daba cuenta de que aquello estaba mal hecho, pero ¡todo era tan complicado! Además, no podía ser algo tan malo: le pedían su testimonio el abogado, el procurador,[18] el rico... Para todo el pueblo eran unos caballeros. Sería cierto lo que ellos decían y le mandaban declarar.

Pasó junto a la biblioteca. Era pública, pero no para los pobres como él. Estaba seguro de que le echarían también de aquel salón tan caliente, con dos chimeneas que se veían desde la calle. Temerían que robara libros.

Pasó por el banco, por el cuartel, por el teatro, por el hospital... todo lo mismo, cerrado para él. En todas partes había hombres con uniforme, para no dejar entrar a los Chiripas.

En las tiendas podía entrar... si salía inmediatamente. Pues pronto se daban cuenta de que no iba a comprar nada. En las tabernas, lo mismo. ¡Ni en las tabernas había alternancia para él!

Mientras tanto, no dejaba de llover y él, mojado, temblaba de frío. Solo Chiripa corría por la calles, como perseguido por el agua y el viento.

---

[17] *Audiencia:* edificio en el que se imparte justicia.

[18] *Procurador:* persona con autorización legal para acudir ante los tribunales en representación de una persona durante un juicio o un proceso judicial.

Llegó junto a una iglesia. Estaba abierta. Entró, anduvo hasta el altar mayor. Nadie le dijo nada. Un sacristán[19] pasó a su lado. Le miró sin sorpresa por su presencia, sin desconfianza, como a uno más. Allí vio Chiripa a otro pordiosero, de rodillas, rezando. Era un viejo de barba blanca. Suspiraba* y tosía mucho.

Comparada con la calle, la iglesia estaba caliente. Chiripa empezó a sentirse mejor. Se sentó en un banco. Olía bien a incienso,* o a cera; olía a recuerdos de pequeño. Las velas le recordaban el hogar; los santos quietos, tranquilos, le miraban con bondad, le parecían simpáticos. Un obispo con un sombrero en la mano, parecía saludarle, diciendo: —¡Bienvenido, Chiripa!—. Él intentó santiguarse,[20] pero no supo.

No sabía nada. La oscuridad de la capilla se fue aclarando a sus ojos y distinguió un grupo de mujeres que formaban un círculo, arrodilladas en un rincón, junto a un confesionario.[21]

—Ahí dentro habrá un carca[22] —pensó Chiripa, sin querer molestar a los curas, creía que un carca era lo mismo que un sacerdote.

Le gustaba aquello cada vez más. «Pero ¡qué paciencia necesitaba aquel señor, para aguantar tanto tiempo dentro del armario! ¿Cuánto cobraría? De momento, nada. Las mujeres se iban sin pagar.»

«Y nada. No le echaban de allí». En la capilla fueron quedando menos personas. Iban saliendo poco a poco. En un momento,

---

[19] *Sacristán:* persona que trabaja en una iglesia ayudando al sacerdote y cuidando y limpiando la iglesia.

[20] *Santiguarse:* hacer la señal de la cruz.

[21] *Confesionario:* recinto aislado de las iglesias donde el sacerdote oye las confesiones.

[22] *Carca:* actualmente, persona con ideas, creencias o actitudes tradicionales o partidario de instituciones políticas o sociales propias de tiempos pasados.

Chiripa se puso de rodillas. El ruido que hizo en la madera hizo que el confesor[23] asomara la cabeza.

«¿Le echaría?». Nada de eso. El cura[24] hizo con la mano una seña a Chiripa.

—¿Es a mí?

A él era. Se puso rojo, cosa extraordinaria.

—¡Tiene gracia! —se dijo, pero con gran satisfacción, con orgullo. Le llamaban a él. Creían que iba a confesarse. Le hacían pasar delante de aquellas señoritas que hacían cola.[25] ¡Qué honor para Chiripa! Nunca le habían tratado así.

El cura repitió su gesto, creyendo que Chiripa no lo veía.

—¿Por qué no? —se dijo—. Aquí no es como en el Ayuntamiento, donde yo quería votar para ver qué era el sufragio* y, aunque era para todos, no era para mí por algo del padrón[26] o su madre.

Se levantó y arrodilló delante de las rodillas del cura.

—Hijo mío, rece usted una oración.

—No sé —contestó Chiripa humilde, comprendiendo que allí había que decir la verdad verdadera, no como en la Audiencia. Además, aquello del hijo mío le había emocionado.

— ¿Cuánto tiempo hace que no se ha confesado?

— Pues... toda la vida.

—¡Cómo!

—Nunca.

---

[23] *Confesor:* sacerdote que confiesa a los penitentes.*

[24] *Cura:* sacerdote.

[25] *Hacían cola:* esperaban su turno por orden y en fila.

[26] *Padrón:* lista de las personas que viven en una ciudad o en un pueblo.

Chiripa solo tenía el bautismo.* Nadie se había preocupado de su salvación. Y él solo había prestado atención, y mal, a no morirse de hambre.

El cura, hombre prudente, le guio y enseñó lo que pudo en tan poco tiempo. Chiripa era solo un gran pecador* de pecados de omisión.[27] Además de eso, lo peor eran unas cuantas borracheras, y la blasfemia,* brutal pero sin intención de ofender.* Jamás había confesado sus culpas, pero penitencia[28] no le había faltado. Había ayunado[29] bastante; el frío y el agua y la dureza del suelo habían castigado sus carnes.

Poco a poco el corazón de Chiripa fue participando en aquella conversión que el cura, serio y con buena intención, estaba realizando. El corazón se convertía mucho mejor que la cabeza, que era muy dura y no entendía.

El cura quiso que expresara a su manera su amor y fidelidad a la religión. Entonces Chiripa, después de pensarlo, exclamó inspirado:*

—¡Viva Carlos Sétimo![30]

—¡No, hombre; no es eso!... No tanto —dijo el confesor sonriendo.

Dejaron para más adelante las cuestiones de forma y lenguaje y acordaron que Chiripa seguiría las lecciones del cura en aquel

---

[27] *Pecados de omisión:* pecados cometidos por dejar de hacer algo obligatorio.

[28] *Penitencia:* pena o castigo que impone el confesor a quien le ha confesado sus pecados. Aquí, figuradamente, cosa muy molesta sufrida.

[29] *Había ayunado:* había estado sin comer ni beber.

[30] *Carlos Séptimo:* Carlos María de Borbón y Austria-Este (1848-1909), pretendiente carlista al trono de España con el nombre de Carlos VII, entre 1868 y 1909. El carlismo tiene su origen en el problema sucesorio a la muerte de Fernando VII (1784-1833), entre su hija Isabel II (1830-1904) y su hermano el infante Don Carlos (1788-1855).

templo abierto para él cuando se le cerraban todas las puertas. Allí donde se había protegido de los latigazos del aire y del agua.

—Así que, ¿te has hecho monaguillo,[31] Chiripa? —le decían otros hambrientos,[32] burlándose de la seriedad con que día tras día continuaba su conversión el pobre hombre.

Y Chiripa contestaba:

—Sí, no me da vergüenza; me he pasado a la Iglesia, porque allí por lo menos hay… alternancia.

---

[31] *Monaguillo:* niño que ayuda al sacerdote durante la misa.

[32] *Hambrientos:* que tienen mucha hambre.

II

EL TORSO

El duque de Candelario pensaba que media provincia era suya. Casi era cierto, porque a sus grandes posesiones no se les veía el fin, y ejércitos de agricultores le pagaban renta. Mucho había heredado de sus ilustres antepasados* pero él también había adquirido muchas posesiones. Ahora él era también un viejo agricultor inteligente, activo. Cada día se hacía más rico, ayudaba a los que le rodeaban a ganarse la vida y sacaba provecho* de la tierra.

Antes había sido un bravo* militar. Llegó a general y siempre había demostrado su valor. Por todo esto, y por su alegre y franco carácter, lo querían en su tierra. Sin olvidar quién era, el duque tenía la democracia del trato en la sangre; y por algo le llamaban el duque de los abrazos. Esos fuertes brazos, que no despreciaban las herramientas del trabajo, abrazaban, como si fueran hermanos, a los humildes aldeanos,[33] los mismos que le acompañaban en su vida sana, activa, de cazador, agricultor y buen amigo.

---

[33] *Aldeanos:* personas que han nacido o viven en un pueblo pequeño.

Vivía casi siempre en el campo, en un gran palacio, con aspecto de castillo. Su enorme casa, rodeada de bosques, imponía frío respeto.

Pero mientras vivió don Juan Candelario, venció a todos, a la tradición, a la etiqueta,[34] al aspecto aristocrático de su casa y a la oposición de su esposa. Ella, tan noble y buena como él, era de gustos menos democráticos y de trato menos próximo con los inferiores que el duque. El duque tenía voluntad de hierro y donde estaba él no mandaba marinero.[35] Así, su gran palacio era la casa de todos, porque él lo quería, y aunque era un hombre rico, para los trabajadores era como un agricultor más.

Tenía solo un hijo, y cuando fue posible, su madre lo envió a Inglaterra a que estudiara en Eton, y después a Oxford, y después en la escuela del gran mundo inglés. Al duque no le pareció mala idea, porque sabía que allá lejos, su heredero,* podía recibir la educación y las lecciones necesarias para la vida de un gran señor. Pero con el tiempo, y esto le preocupó, el duque entendió que allá lejos su hijo había aprendido ideas, hábitos y tendencias muy diferentes de la sencillez castellana,[36] que para don Juan era educación y naturaleza.

Su hijo se parecía más a la duquesa que al duque mismo. La educación, correcta y fría, separaba al padre y al hijo. El duque lo sentía. Pero no se quejó. A él, ni Diego ni nadie le cambiaría. El heredero, que fuera lo que Dios quisiese. La libertad, que había defendido, la quería para él y también para los demás. Eso sí, mientras él viviese, su casa marcharía como siempre.

---

[34] *Etiqueta:* conjunto de normas y reglas que se establecen para ciertos actos.

[35] *Donde estaba él no mandaba marinero:* expresión que indica el mando absoluto de una sola persona.

[36] *Sencillez castellana:* en el texto se refiere al estilo sencillo de vida en la región de Castilla, una vida con la gente del campo.

Diego, en verdad, sentía casi odio hacia aquellas costumbres de su padre. Él siempre había tenido criados* y aprendió, desde el colegio, a mantener las distancias entre las diferentes clases sociales. Creía que nunca podría tratar como a iguales a agricultores ni a criados. Le enfadaba la confianza en las relaciones entre amos y criados.

—Es preferible —decía don Diego a su madre en secreto— servirse a sí mismo a tener criados de esta clase. Un criado que no es una máquina respetuosa es una vergüenza en un hogar. Los verdaderos nobles se diferencian de los falsos en el trato con sus criados. En la casa del noble verdadero, el trato con los criados es más disciplinado y estos se toman más en serio su trabajo.

Casi odio contra su querido padre sentía don Diego, cuando veía cómo trataba Ramón al duque. Ramón era un antiguo compañero del padre de la época de la guerra. Ahora era jardinero y ayudaba como mayordomo.[37] Era el favorito del amo. Diego era el ídolo* de Ramón. Antes de marcharse a Inglaterra, se había ganado el cariño del chico, que se sentaba sobre su rodilla o sobre su pata de palo.[38] Sin embargo, cuando el joven volvió, ya era un señorito frío y con aires de gran señor. Ramón convirtió de repente la mitad de su cariño en respeto. Si antes lo quería como a un ídolo familiar, ahora temía al joven señor como a un dios. El trato entre el duque y Ramón era de igualdad. Todo lo que hacía el jardinero estaba bien para el amo, pero con don Diego..., ¡ay si no le obedecía!

—Cuando yo muera —dijo una vez don Juan— que te cuelguen de un árbol, o que te pongan una casaca[39] verde si quieren; pero mientras yo viva... ¡lo de siempre!

---

[37] *Mayordomo:* sirviente principal de una casa o de una finca.

[38] *Pata de palo:* pierna de madera.

[39] *Casaca:* prenda de vestir usada como uniforme, especialmente en los palacios.

Pasaron años. Diego vivió lejos de su padre, a lo gran señor, en el mundo. Se casó con una duquesa, y no volvió al palacio de Candelario hasta que murió su madre. Estuvo allí poco tiempo. Lo bastante para convencerse de que Ramón sin malas artes,[40] sin ambición, por su inteligencia y su energía había invadido todas las funciones de mando. El duque, muy enfermo, decía:

—Él es mis pies y mis manos... y eso que no tiene ni manos, ni pies.

Ramón, mucho tiempo atrás, había perdido una pierna en la guerra, y poco después le ocurrió lo mismo con el brazo, cuando intentaba apagar un incendio sobre el tejado* del palacio. No importaba; con lo que le quedaba, Ramón lo dirigía todo, lo vigilaba todo.

Diego decidió llamarle el *Torso*.[41] Este nombre hizo sonreír a su esposa la duquesa, poco amiga también de aquellas confianzas de los criados.

Poco antes de morir, el duque llamó a su hijo a su lado. El pobre viejo se sentía débil. A los pocos días de llegar don Diego, Ramón tuvo que entregarle el poder de la casa. El señorito seguía queriéndole pero a distancia, por eso fue claro con él. Se equivocaba si creía que aquel trato familiar entre señores y criados era lo natural en el mundo. El verdadero respeto, la verdadera lealtad a los señores consistía en saber guardar la distancia que hay de clase a clase.

«Amo nuevo, vida nueva». Ramón era un perro fiel. Había tenido el cariño de su señor, había dormido a los pies de su amo dándole el calor de su afecto... ahora lo mandaban a la puerta, a vigilar desde fuera como buen perro. Y allá se fue, humilde, con vergüenza de haber tomado en serio su papel de mayordomo y favorito.

---

[40] *Malas artes:* medios o procedimientos poco éticos que utiliza alguien para conseguir algo.

[41] *Torso:* parte del cuerpo humano sin la cabeza, los brazos y las piernas.

Don Juan notó el cambio, pero ya no tenía humor ni fuerzas para protestar. Además, era natural que su hijo empezara a reinar como buen heredero, orgullo y gloria de su padre. «Diego es un gran señor —se decía don Juan—, yo, como mucho, he sido un gran aldeano».

Murió don Juan, y la casa cambió por completo. Aquellas posesiones, en el corazón de España, parecían una de esas mansiones de los *landlords.*[42] Allí todo era inglés. Todo, como diría don Juan, correcto y frío. Mayordomo y criados con casacas verdes. Grandes señores invitados a palacio.

Ramón apenas salía de su casita en el jardín. No se quejaba. Cambió de vida, fue el más respetuoso, el criado que menos hablaba. Aceptó su suerte y sin vergüenza comió el pan que le ofrecían por los servicios de toda una vida. Sin embargo, en un rincón de la huerta trabajaba lo que podía, casi siempre solo.

Los duques iban y venían. Vivían en Candelario parte del verano y todo el otoño. En toda la temporada Ramón veía muy poco a su querido don Diego, pero le llegaban rumores de las peleas domésticas. Ramón sentía lágrimas en los ojos cuando oía aquellas noticias. «¡El señorito no era feliz!», pensaba Ramón en su soledad. ¡Pero era imposible decirle ni una palabra de consuelo!*

Una tarde Ramón vio acercarse a don Diego, silencioso, solo y con una terrible preocupación en la cara. Ramón estaba sentado en un banco, descansando del trabajo, que día tras día se hacía más duro para él. Pasó el duque a su lado. Ramón se puso en pie, en el pie que tenía, y llevó la mano única a la frente para levantarse el sombrero, aunque no traía nada en la cabeza. El duque le vio, y le miró con repentino* cariño. Le puso una mano sobre el hombro, y

[42] *Landlords:* aquí, en inglés, dueño de grandes tierras y casas.

notó que al *Torso* se le llenaban los ojos de lágrimas y de preguntas. Entonces, el amo dijo:

—¿Qué tal ese reuma?[43]

—El médico dice que perderé el uso de este brazo —y con el muñón[44] del que le faltaba, señalaba el que tenía—. Y creo que lleva razón el médico, porque me pesa como un plomo.[45] Pero lo peor no es eso: es que la pierna… me pide descanso y no hay otra en la reserva.

—Ya sabes que nunca te faltará nada.

Y el señorito, que un día había jugado saltando sobre aquella pierna que a Ramón se le moría, siguió adelante, con el alma triste y sin respuesta a las dudas sobre la lealtad de su mujer.

Después de pasado el tiempo, el duque, solo, separado de su duquesa, descubrió su traición. Sin hijos, sin amor a nada del mundo, sin amigos verdaderos, como la mayoría de los hombres, se fue a sus dominios de Candelario, como si fuera a una isla desierta. No era un puerto familiar donde le esperaban. El mundo era ya para él una isla desierta. En su palacio había la corrección de siempre. Los criados, siempre con casacas verdes, saludaban inclinándose hasta el suelo. Al duque no le faltaba nada, pero le sobraba una cosa: la reserva absoluta de su gente. Los criados, por antigua costumbre, por tradición, veían al duque como un ser superior y feliz. Pensar que el amo necesitaba ayuda, consuelo, calor de corazón, era absurdo. Ningún criado, ni siquiera el más fiel, creía que tenía la obligación de pensar si el duque podía estar triste o no.

---

[43] *Reuma:* enfermedad que causa dolor en los huesos y en los músculos.

[44] *Muñón:* parte que queda de una extremidad del cuerpo cuando se ha cortado.

[45] *Pesa como un plomo:* pesa mucho.

Don Diego envejecía de dolor y de soledad. A solas con su grandeza se sentía como un rey Midas:[46] todo lo que tocaba se convertía en frío respeto. Sin embargo, él necesitaba cariño. Intentó acercarse a sus criados, pero no lo consiguió.

Cerca del anochecer, un día, el duque llegó hasta el extremo del jardín, a la casa donde vivía Ramón. De él solo cuidaba un joven. Pasaba el día sentado en un sofá de paja,* haciendo solitarios[47] sobre una mesa de mármol.* Con su única mano, movía cada carta con dificultad. La pierna de carne se había hecho de palo también, no se movía. Los ojos eran rayos, pero los oídos tapias.[48] Como no oía, apenas quería hablar. Además, casi nunca tenía con quien.

Solo pensaba en una idea. «¿Qué haría, cómo lo pasaría el señorito?».

Don Diego dudó... pero finalmente decidió entrar en la triste vivienda de Ramón, del enterrado en vida. Del tronco arrinconado[49] como mueble viejo y noble, del *Torso* de carne y hueso.

El *Torso*, al ver al amo enfrente, quiso levantarse, pero no pudo. Levantó un poco la mano, que no llegó a la cabeza. Saludó con ponerse rojo[50] de respeto y de alegría. ¡Qué santo orgullo el suyo! ¡El señorito venía a verle!

El duque le puso la mano sobre el hombro. Se sentó a su lado en el sofá de paja.

—¿Qué solitario es ese? —preguntó por señas.

---

[46] *Rey Midas:* en la mitología grecolatina, rey que convertía en oro todo lo que tocaba.

[47] *Solitarios:* juegos de cartas para una sola persona.

[48] *Tapias:* paredes. Aquí, «oídos tapias» se refiere a la expresión ser/estar sordo como una tapia, que significa que no oyen nada.

[49] *Arrinconado:* apartado, abandonado.

[50] *Ponerse rojo:* ponerse la cara roja por vergüenza.

—El de los reyes.

—¿Te lo enseñó mi padre? —volvió a decir don Diego también con gestos, señalando con la mano dos veces allá hacia las nubes, hacia los cielos…

—Sí; el señor duque —contestó Ramón, moviendo el muñón del brazo perdido, también hacia arriba.

—El señor duque… que de Dios goza —repitió el *Torso*, que no pudo contener dos lágrimas pobres, muy delgadas.

Y el amo tampoco pudo. Dejando caer la cabeza sobre el hombro de Ramón, abrazando al *Torso*, lloró en silencio, como quien se reconcilia[51] con su ídolo y le cuenta al tronco sin vida, dios de la casa, las penas íntimas que no le importan al mundo.

[51] *Se reconcilia:* vuelve a tener buenas relaciones con alguien.

III

LA REINA MARGARITA

Por la noche se la veía en el ensayo. Los días que no había función,[52] que eran lunes y viernes, se sentaba en una butaca* de quinta o sexta fila y se envolvía en su chal[53] gris. Permanecía inmóvil horas y horas. Cuando sus compañeros en el escenario se reían, ella seguía callada. Las noches de función solía ir a un palco* de tercer piso, se escondía y permanecía quieta y callada como siempre. Para ella no era divertido mirar a un público desconocido, indiferente y enemigo. Un enemigo distraído que encontraba en todos los pueblos a los que iba con la compañía. No le gustaba mirar al público de frente, cuando salía al escenario para cantar. Prefería ser ella la que observara también el escenario. En su imaginación, la escena era la tierra firme y el público era el mar misterioso. Esto cuando veía el escenario desde fuera. Cuando estaba sobre él, el público seguía siendo el mar bravo y el escenario era un lugar frágil.

---

52 *Función:* representación de una obra teatral.

53 *Chal:* prenda femenina de seda o lana, mucho más larga que ancha, que se lleva sobre los hombros como abrigo o adorno.

Iba al teatro para huir de la soledad de la posada[54] y por costumbre. Por seguir y escuchar a todos los cantantes de la compañía, aunque para ella eran fríos e indiferentes. Estaba acostumbrada desde pequeña a hacer lo mismo. Su madre había sido cantante y su padre músico de orquesta. De niña ella prefería quedarse en el teatro a dormir sola. Iba al teatro donde tenía frío, cansancio, sueño... pero prefería todo eso al miedo de verse sola en la posada, de noche. Ahora que no tenía padres a quien seguir, iba al teatro y seguía a todos los de la compañía, por huir de la poca luz de su habitación en la posada, del frío, del silencio, de la soledad, que la comían el alma.

Ella no recordaba cómo había entrado en el arte del teatro. Todo había empezado por ser una ilusión de su madre. Un día necesitaban a una niña para representar un papel. Apareció ella. El público la aplaudió y, desde entonces, empezó a trabajar en la compañía de teatro. En otra ocasión, un director de orquesta les dijo a los padres de Marcela que la niña tenía hermosa voz. El padre y la madre lo creyeron. Nadie lo negó. La chica aprendió música y, cuando tuvo edad suficiente, empezó a cantar papeles muy modestos en la compañía donde trabajaba su madre.

Así había empezado aquello. Era cantante porque nunca había sido otra cosa, ni nadie le había propuesto cambiar de trabajo. Tenía apego[55] al teatro. Le tenía cariño por el hecho de estar acostumbrada a él. Pero ya no conservaba la ilusión de artista que había tenido al principio de su triste carrera. Además, no era hermosa. Había tenido sus dieciocho años, pero no había experimentado la felicidad, sino desengaños[56] en todo. En la compañía en la que estaba ahora, había

---

[54] *Posada:* lugar donde se duerme y se come.

[55] *Tener apego:* tener estima o sentir preferencia por algo o alguien.

[56] *Desengaños:* pérdidas de la esperanza o de la ilusión de conseguir algo que se desea o de saber que algo o alguien no es como se pensaba.

permanecido años y años por las relaciones de amistad que habían mantenido sus padres fallecidos con los directores de la empresa. Y porque Marcela llenaba huecos, lo soportaba todo, no tenía sueños, no hacía sombra a nadie y aceptaba un sueldo de menos dinero que el resto de cantantes. Solo había trabajado en pueblos. Los gacetilleros,[57] mal vestidos y no siempre bien educados, la trataban mal o bien decían de ella que se había esforzado* para controlar la emoción que evidentemente la llenaba. Sí, esto era verdad. La emoción se llamaba miedo. Tenía mucho miedo al público. Un miedo que no se le quitaba con los años. Sus protectores,* los directores de la empresa, se acostumbraron a disculparla* como si fuera una obra de caridad[58] lo que estaban haciendo con ella. Pero, poco a poco, fueron deshaciéndose de Marcela en las obras. Le pagaban un sueldo bajo y ella, humillada[59] y triste, lo agradecía. En general, los demás cantantes ni la querían ni la odiaban. No se sabe quién, pero alguien de la compañía, para reírse de ella, inventó un apodo* para Marcela. La llamaron *la reina Margarita*.

Le pusieron ese apodo por el siguiente motivo. En una obra clásica, muy popular en todas partes, Marcela tenía que representar el personaje de una reina Margarita, más o menos fantástica. Una reina que no gobernaba. Era lo más constitucional posible. Una reina que

[57] *Gacetilleros:* personas que escriben en periódicos.

[58] *Obra de caridad:* acción que se realiza para ayudar a una persona, sobre todo si la persona es pobre o está en situación de necesidad.

[59] *Humillada:* ofendida en su dignidad y orgullo.

permitía a otra mujer, que no era ni duquesa, quitarle toda la luz que ella tenía. Cuando cantaba le comía la voz y, además, le quitaba un amante que Margarita amaba en secreto. Todo el mundo estaba allí menos la reina, que en el tercer acto desaparecía y no volvía a presentarse en escena. Era una reina triste, modesta, que oía en pública audiencia canciones, dúos y tercetos.[60] Se pasaba media hora sentada en su trono y nadie le hacía caso. Cuando se permitía cantar, tres o cuatro veces en toda la ópera, lo hacía con canciones de resignación.[61] Sin grandes gritos. Al fin, se dejaba dominar por voces más poderosas.

Marcela no sabía por qué se había enamorado de este papel. Además, el público, el director y sus compañeros la encontraban en él con cierta gracia que otras veces no tenía. Hasta casi guapa salía Marcela Vidal en su reina Margarita. Las únicas flores que había recibido de su público eran por su reina Margarita. Para no cambiar nunca de aspecto, ya que había parecido bien en este papel, Marcela se hizo un traje para esta ópera. Ella nunca usaba los trajes de la empresa, sino aquellos que le habían costado su trabajo y su dinero. Algunas veces el público había encontrado a la Vidal simpática y moderada en este papel. Por eso, al terminar aplaudían más. En el cuarto acto nadie, ni en la escena ni en la sala, se acordaba de la reina Margarita. Pero eso no hacía que ella volviera a su posada, sola, más contenta, o menos triste, de lo normal. Lo importante es que ella volvía pensando que se había ganado el pan de aquella noche.

Sin embargo, esta buena impresión llegó a su fin. Marcela notó la ironía* de sus compañeros al llamarla reina Margarita. Ella misma

---

[60] *Dúos y tercetos:* composiciones musicales para dos o tres voces o instrumentos.

[61] *Resignación:* aceptación con paciencia de una situación negativa o de una desgracia.

terminó por ver la parte cómica de su limitada profesión. La empresa siempre le daría el papel de reina a Marcela.

La compañía llegó a una ciudad del Norte, en mitad del invierno. Los cantantes estaban aburridos. Todos tenían miedo de quedarse sin voz. La humedad les llegaba a las entrañas.[62] Tiritaban* y se encogían.* No tenían bastante vestuario* para ponérselo por el cuello. El tenor[63] no abría la boca más que para comer y cuando llegaba la hora de cantar.

Era un pueblo triste, que tenía la ópera como un lujo más que por afición. Los ricos se apuntaban, pero muchos días no iban. No había afición a la música. Solo había dinero que relacionado con el arte se convertía en intenciones. No entendían, pero, como eran ricos, se creían con el derecho a exigir. Además, no querían un mal contrato. No les gustaría que les dieran gato por liebre.[64] Los cómicos,[65] como suele pasar, no se relacionaban con nadie del pueblo. Tampoco les interesaban ni los monumentos, ni las costumbres, ni los paisajes del hermoso campo. De la posada iban al teatro, al ensayo o a la función. No sabían más que esto: «que llovía sin cesar, que el cielo estaba nublado, y que el público era muy frío, muy reservado, y tenían miedo a aplaudir algo que no merecía aplausos».

---

[62] *Llegaba a las entrañas:* llegaba a lo más profundo del cuerpo.

[63] *Tenor:* cantante de ópera de voz aguda.

[64] *Dar gato por liebre:* engañar una persona a otra dándole una cosa de poco valor o de mala calidad por otra más valiosa o mejor.

[65] *Cómicos:* aquí, actores.

Para Marcela esta situación no era novedosa. Todos los públicos le parecían iguales. Un enemigo, un juez. Algo así como una especie de guardia civil[66] que la perseguía por no tener buena voz. El agua, la humedad, que se le metía por los huesos, el cielo oscuro, todo eso sí le ponía triste. Allí se sentía más extranjera que en ningún otro sitio, pues ni siquiera se podía salir de paseo por los alrededores. Por eso, se aburría muchísimo en la posada. Ella cosía la seda y las perlas* falsas de su traje de reina. Hacía solitarios con una baraja y dormía mucho. La reina Margarita cantó una, dos y tres noches. Por primera vez, los gacetilleros la citaron de una manera cruel. No les importó decir que Marcela no había cantado bien. Así, ella volvió a su huelga oficial, a envolverse en el chal gris, y a ocultarse en la sexta o séptima fila de butacas. En la sombra, en la noche de ensayo, y en su palco tercero en las noches de función.

Estando allí, en el palco tercero de la extrema izquierda, asistió a un triste espectáculo que le puso la carne de gallina.[67] Eso le hizo odiar más al público enemigo.

El tenor se puso malo de la garganta con la humedad y por el abuso de los empresarios. El público amenazaba con marcharse porque consideraban que con el resfriado del tenor se les estaba defraudando.*

---

[66] *Guardia Civil:* actualmente, guardia de un cuerpo de seguridad del estado encargado de mantener el orden público fuera de las ciudades, vigilar las fronteras y zonas marítimas y controlar el tráfico en las carreteras.

[67] *Carne de gallina:* aspecto que toma la piel de una persona a causa del frío o del miedo.

La empresa no sabía qué hacer. Como llovido del cielo,[68] llegó al pueblo un tenor procedente de la capilla de una famosa catedral. El recién llegado declaró que la partitura* que mejor dominaba era el Fausto. No tenía ropa, pero se sabía el papel de principio a fin. Le arreglaron la ropa como pudieron de otros cantantes del teatro. El nuevo tenor se llamaba Feliciano Candonga y se resistió a llamarse en italiano Cantonghini, como le propuso la empresa. «¿Y Scherzo? Llámese usted Scherzo, que es una especie de traducción de Candonga», le dijeron. Pero nada, él era una persona tranquila, pero en esto no quería ceder. No quería dejar de usar el apellido de su padre. Como la empresa tenía prisa por contratarlo, lo aceptó. En los carteles se decía: Fausto, señor Candonga.

Pero lo peor no era su nombre, sino que pisaba mal. Destrozaba en seguida los tacones, y parecía un animal raro con aquel modo de poner la planta del pie. Además, tenía la costumbre de bajarse demasiado el sombrero por la parte de atrás de la cabeza. Y, no se sabe cómo, pero encogía los brazos de tal manera, que todas las mangas le venían largas. A la empresa no le preocupó esto. Ni el director de escena ni el de la orquesta se fijaron en que aquel hombre nunca había sido Fausto, como él decía.

Llegó la noche del debut de Candonga. Aquello fue el colmo.[69] El público disfrutó mucho riéndose del tenor toda la noche. No parecía cantar mal, pero, cuando quisieron cambiarle sus vestidos, tiraron de una cuerda y le dejaron en mangas de camisa[70] y con media barba. El pobre Candonga, que debía de necesitar mucho el sueldo,

---

[68] *Llovido del cielo:* expresión que se usa para indicar que alguien ha llegado o algo ha sucedido en el momento o lugar más oportuno y sin esperarlo.

[69] *El colmo:* lo máximo a lo que se puede llegar.

[70] *En mangas de camisa:* sin ninguna prenda sobre la camisa.

lo soportaba: se reían de él y él sonreía e intentaba estar correcto. El público cruel volvía a hacer jaleo.* Se oían chistes que iban de palco a palco. Una orgía[71] de humor provinciano aprovechándose de un infeliz hambriento.

Marcela lo vio y sintió una lástima infinita. La voz del señor Candonga, a quien no tenía el gusto de conocer, le llegaba al alma. Para ella todo lo que cantaba aquel Fausto significaba: «Vosotros los que pasáis por este camino del arte, por este sufrimiento, decidme si hay dolor como mi dolor». Se le saltaban las lágrimas. Si hubiera tenido una bomba, puede ser que la hubiera tirado sobre aquellos señoritos de las butacas. Marcela salió del teatro antes de terminar.

Feliciano Candonga y la reina Margarita no tardaron en hacerse amigos. Se conocieron entre bastidores,[72] durante un ensayo de una ópera. Marcela cantaba unas cuantas notas y Candonga absolutamente nada. Simpatizaron enseguida. Su suerte tan similar los atraía. Feliciano, después de aquel famoso Fausto, no volvió a salir al escenario. La empresa no se atrevía a despedirlo, por si el otro tenor volvía a ponerse enfermo, pero tampoco se arriesgaba a una segunda representación con el nuevo tenor. Mientras tanto, se le daba al infeliz cantante un pequeño sueldo. Por lo visto, él estaba muy mal de dinero, porque, a pesar de su triste situación, no se quejaba. Sonreía a todos, fingía no darse cuenta de lo que pasaba. Solo esperaba su turno para volver a salir a escena.

Marcela y Feliciano comprendieron que su situación de artistas en esa empresa era muy parecida. Esto les unió mucho. Además, se

---

[71] *Orgía:* aquí, exceso.

[72] *Bastidores:* parte del decorado de una representación teatral que queda fuera de la vista del público.

parecían en el carácter. Los dos buscaban la oscuridad, eran modestos: dos resignados.[73]

La reina Margarita ocupaba su butaca en la fila siete. Las noches de ensayo se presentaba allí el pobre tenor. Hablaban en voz muy baja, a ratos, cuando el director de orquesta no exigía silencio absoluto. Otras veces, oían la música con mucha atención. Estaban contentos de oírla así, uno tan cerca del otro. Coincidían en sus opiniones sobre el mérito de las óperas. Coincidían en no sufrir envidias por parte de otros. Todo aquello era un nuevo placer para este dúo. Admiraban las mismas bellezas y perdonaban los mismos desprecios.

De lo que más hablaban era de ellos mismos. A Marcela le agradaba poder contar a otra persona sus tristezas. Su conversación no era muy poética. El tema de la mayor parte de sus diálogos eran los resfriados que no dejaban tranquila a la pobre cantante. Llegaron al acuerdo de contarse todo lo que habían hecho durante el día. Hablaban muy bajo, como dos enamorados.

Candonga descubrió que Marcela se pasaba las horas haciendo solitarios con una vieja baraja. Nunca hablaban de su futuro profesional en el mundo del arte. Parecía que para ellos no había futuro, ni bueno ni malo. Candonga creía que Marcela era una chica muy simpática, pero que sabía poco de música y no cantaba muy bien, y Marcela creía que Feliciano era un músico normal y sabía que aquel hombre tan natural nunca sería lo suficientemente bueno para estar en un escenario. No, no veían ningún futuro en el teatro y en su arte y, por eso, no hablaban de él. Y si lo hacían, no era por gusto, sino porque no sabían hablar de otras cosas.

---

[73] *Resignados:* que aceptan con paciencia y sin hacer nada lo que les ocurre.

Un día Candonga descubrió muy sorprendido que Margarita, la reina, no sabía quién era Martínez Campos.[74] Ella no sabía nada del mundo, solo del público enemigo. Cuando se agotaban los temas de sus aburrimientos, frío, resfriados y otras tristezas cotidianas, Feliciano cambiaba de conversación. Él hablaba de otros temas desconocidos para Margarita. El tema favorito llegó a ser cómo ganarse la vida sin contar con el público del teatro. Había quien ganaba muchísimo más que ellos. Por ejemplo, comprando harina, teniéndola en casa durante una temporada y después vendiéndola. «¡Qué felicidad!» pensaba la reina. La gente que iba a comprar no tenían derecho a silbar* a quien les vendía la harina. Si el género[75] no les gustaba, nadie se reía del vendedor. Marcela pensaba en aquel paraíso tranquilo, serio, honesto y humilde.

Después de tanto hablar, Candonga le confesó su secreto. Si él estaba en el teatro era por haber sido tonto. Algunos comentarios se le habían subido a la cabeza[76] y, por eso, había querido ser artista. Así, había abandonado a su tío, que le iba a ayudar con el comercio de las harinas en Grijota, un pueblo de la provincia de Palencia. Había muchas probabilidades de hacer un buen negocio. La reina Margarita, sorprendida, aconsejó al tenor que escribiera a su tío. Y él, así lo hizo. Un mes más tarde, la compañía se iba a otro lugar.

Feliciano, la última noche de la función, le dijo a la reina Margarita que dejaba la empresa y el mundo del arte. Él se iba a Grijota, donde le esperaba su tío Romualdo con el negocio de la harina. La reina lo felicitó y no habló mucho más en toda la noche. Marcela

---

[74] *Martínez Campos:* militar y político español, autor del pronunciamiento militar que significó la Restauración de la monarquía de los reyes Borbones en España.

[75] *Género:* aquí, mercancías o productos que se venden y compran.

[76] *Subírsele a la cabeza:* creerse alguien mejor que los demás.

quería volver a la posada porque no se sentía muy bien y Feliciano quiso acompañarla. Casi no hablaron por la triste y oscura calle. Cuando llegaron a la puerta de la pobre vivienda, donde Marcela tanto se había aburrido, se detuvieron y no dijeron nada.

No sabían cómo despedirse…

—¿Y usted? —dijo por fin Candonga.

—¿Yo? Mañana a las siete cojo el tren. Ocho horas de viaje, y por la noche en Z… función… La reina Margarita se presentará al respetable público… ¡y espero estar bien!

Entonces, Candonga, que dejaba el teatro, muy nervioso, ofreció a la reina su blanca mano, su blanca harina y los sacos del tío Romualdo… y todo lo que él podía valer en Grijota. Al final, se le declaró. Él le ofrecía una felicidad segura lejos del público, de los trajes, de los artistas y de los músicos.

Algunos años después se celebraba en Grijota el nombramiento del diputado provincial don Romualdo Candonga. Hubo fuegos artificiales[77] y un poquito de teatro. Lo mejor de la función fueron el señor Feliciano y su maravillosa esposa doña Marcela Vidal, que salieron al escenario. Cantaron como ángeles vestidos con trajes que ni los cómicos de la corte.[78] Era increíble ver al rico comerciante de harinas y a su señora doña Marcela, cada uno por su lado, hacer disfrutar a sus vecinos. Sus cantos daban gloria.[79] Candonga pisaba el tacón como siempre, y el traje de Fausto, que le había hecho su mujer, lo llevaba parecido a los sacos de harina que tenía en su casa. Pero cantando era un fenómeno. Y cantaba solo, sin Margarita que

---

[77] *Fuegos artificiales:* cohetes de pólvora que se usan para divertirse.

[78] *Corte:* aquí, población donde vive el rey con el gobierno del reino.

[79] *Dar gloria:* producir algo mucho placer o satisfacción.

lo molestase. Después salió la reina Margarita con su traje, que había conservado, e impresionó al público.

Al día siguiente, los músicos del pueblo dijeron que era una lástima que el feliz matrimonio no se dedicara de nuevo a la vida artística. Tenían seguros los aplausos, los contratos, etc.

—¡Qué horror! —se decían Marcela y Feliciano mirándose y sonriéndose—. ¡Si todo el público fuera como el de Grijota! ¡Amigos y familiares! Al final, Candonga para acabar con cualquier tentación, vistió con su traje de Fausto al espantapájaros que tenía en su huerta para espantar los pájaros.

Y cuando llegó el primer día de Carnavales, en el baile de Grijota llamó la atención una máscara que llevaba un traje de seda, oro y pedrería... Era Sinforosa, la criada de los Candonga. Su ama, doña Marcela, la había disfrazado con el traje que un día ella usó en los escenarios. El traje de corte de la reina Margarita.

IV

UN VIEJO VERDE

Oíd un cuento… ¿Lo queréis naturalista?[80] ¡Oh, no! Será idealista, imposible… romántico.

El director de orquesta extendió el brazo y la batuta[81] brilló en un rayo de luz verde. Surgieron de los instrumentos, como de muy lejos, las notas misteriosas. Era el alma de Beethoven, poesía eternamente viva. Era el alma de Beethoven, que llenaba los rincones del auditorio y los espíritus. La poesía de la música iba dominando a los que la oían. Como un viento musical, volando sobre la sala, transmitía a todos el placer de la belleza rítmica.*

---

[80] *Naturalista:* referido al movimiento literario del siglo XIX, Naturalismo, en el que se escribían historias muy realistas.

[81] *Batuta:* palo corto y delgado que usa el director de una orquesta para marcar el ritmo de una obra musical.

El sol de fiesta de Madrid entraba, vestido de mil colores, por las altas vidrieras[82] rojas, azules, verdes, moradas y amarillas. Así, las partículas* de luz daban brillo azul al peinado de la mujer morena que estaba en un palco. Más abajo, en la sala, daban reflejos de amanecer a las flores de los graciosos sombreros que anunciaban la primavera.

Elisa Rojas oía la música desde un palco del centro, con más atención de la que suelen prestar las damas en estos casos. Era una diosa de ojos verdes, inteligente y llena de pasión. Elisa Rojas, la de los cien pretendientes,[83] estaba enamorada del modo de amar de algunos hombres. Amaba a los escogidos entre sus admiradores* con la pasión de un amante de los libros por los ejemplares raros y preciosos. Amaba la constancia ajena. Para ella un admirador antiguo era un incunable.[84] Aquella tarde, a su lado, en otro oscuro palco, lleno de hombres, estaba su biblia de Gutenberg; su amante más antiguo.

Aquel señor, porque era ya un señor de treinta y ocho a cuarenta años, la quería. La quería desde que Elisa recordaba tener malicia[85] para estas cosas. La admiraba él desde lejos, antes de vestirse ella de largo,[86] y recordaba lo pálido que se había puesto la primera vez que la había visto vestida de fiesta. Y ya había pasado tiempo. Porque

---

[82] *Vidrieras:* cristales de diversos colores y tamaños que contienen un dibujo y se usan para decorar ventanas y puertas.

[83] *Pretendientes:* personas que desean el amor de otra.

[84] *Incunable:* dicho de un libro, que ha sido impreso antes del año 1500.

[85] *Malicia:* aquí, conocimiento de las cuestiones sexuales.

[86] *Vestirse de largo:* ceremonia en la que una joven se presenta en sociedad. También, llevar vestidos hasta los pies.

Elisa Rojas ya no era una niña, lo decían sus amigas. Y si no era ridículo* que fuera soltera todavía, era porque todo el mundo sabía que tenía miles de pretendientes, pues era cada día más bella y más rica.

Aquel señor tenía para Elisa el mérito de que no podía pretenderla.[87] Elisa no sabía exactamente por qué. Había intentado saber con mucho cuidado y reserva el estado de aquel admirador. Unos decían que era casado y su mujer se había vuelto loca y estaba en un manicomio.[88] Otros que era soltero, pero que estaba unido a una dama por temas de conciencia y otros compromisos legales. Por todo ello, la de Rojas sabía que no podía tener una relación formal con ella. Él mismo se lo había dicho en el único papel que le había enviado en su vida. En él había escrito el caballero: «Mi divino imposible».

Elisa tenía la costumbre de alimentar el fuego de sus apasionados:* con miradas intensas, largas, profundas. Aquel señor también llegó a merecer aquellas miradas gracias a su constancia. Una noche, oyendo música también, Elisa no pudo resistir la tentación, mitad con pasión y mitad con burla,* de clavar sus ojos en los del triste caballero. Decía, solo con la mirada, todo lo que en aquel momento sentía y pensaba: «Toma mi alma; te beso el corazón con los ojos en premio a tu amor verdadero. Sé que es puro, noble y humilde. Solo seré tuya en este instante y de esta manera; toda tuya, entiéndeme por Dios, te lo dicen mis ojos y la música, toda amores». Y casi firmaron los ojos: Elisa, tu Elisa. Aquel señor se puso muy pálido y, sin que lo notara nadie más que la de Rojas, sintió que se desmayaba.[89] Tuvo que apoyar la cabeza en una columna que tenía al lado. En cuanto le volvieron las fuerzas se marchó del teatro. Al

[87] *Pretenderla:* aspirar a tener su amor o a casarse con ella.

[88] *Manicomio:* hospital para enfermos mentales.

[89] *Desmayaba:* perdía el conocimiento.

día siguiente, Elisa recibió un sobre con estas palabras: «¡Mi divino imposible!». Nada más, pero era él, estaba segura. Así supo que este amante no podía pretenderla. Durante una temporada evitó las miradas de aquel señor. Pero poco a poco volvió a la costumbre, con más intensidad y frecuencia que nunca. Se dejó adorar y pagó con los ojos aquella constancia del que no esperaba nada. Nada. El caballero aceptaba ver a su amada con otros pretendientes. Llegó la ocasión de que el personaje imposible viera otros pretendientes al lado de su ídolo, y supo aceptarlo con dignidad extraordinaria. Elisa vio en esto nuevas pruebas de resignación de quien no podía llamar rivales a los que aspiraban a lo que él no podía pretender. Pero Elisa no sabía que aquel señor no veía las cosas tan claras, y solo a ratos creía no estar en ridículo. Lo que más le preocupaba era naturalmente la edad, que le parecía inadecuada* para estas contemplaciones. Cada día estaba más ausente, y la de Rojas comprendió que aquel señor ya no la buscaba. Solo cuando se encontraban por casualidad aprovechaba la ocasión para admirarla. Y ella aprovechaba estos encuentros para acumular amor, locura de amor, en aquellos pobres ojos que tantos años había sentido acariciándola con adoración muda, absoluta, eterna.

Pero también era costumbre en la de Rojas jugar con fuego,[90] poner en peligro los afectos que más la importaban. Se burlaba de lo que admiraba, de lo que quería, de lo que respetaba. Cuando veía en su amante un poco de esperanza, disfrutaba haciéndole sufrir, poniéndole a prueba, para lo que solo necesitaba una sonrisa fría, de burla.

---

[90] *Jugar con fuego:* entretenerse de forma frívola* con algo que puede ser peligroso.

La tarde de mi cuento era solemne para aquel señor. Por primera vez en su vida la suerte le había puesto en un palco junto a Elisa. Respiraba por primera vez en la atmósfera de su perfume. Elisa estaba con su madre y otras señoras que al entrar habían saludado a alguno de los caballeros que lo acompañaban. La de Rojas se sentía, sin poder evitarlo, apasionada. La música y la presencia tan cercana de aquel hombre la tenían en este estado. Necesitaba marcharse a llorar a solas, o hablar mucho y destrozar el alma con sus palabras, y hacerse daño a sí misma diciendo cosas que no sentía... como otras veces. Pensaba que hablando formalmente no podía decir nada digno de la Elisa ideal que aquel hombre tendría en la cabeza, y esto la humillaba. Sabía que él era un artista, un hombre de imaginación, de lectura... y que ella hablaba como las demás, punto más punto menos. Él apenas hablaba. Ella le oiría... y creía que tampoco era digno de sus oídos lo que pudiera decir él, que había callado tanto...

Un rayo de sol, atravesando un cristal verde del techo, cayó sobre el grupo que formaban Elisa y su admirador. A la vez, sintieron y pensaron lo mismo. Los dos se fijaron en aquel lazo de luz que los unía tan idealmente. El hombre pensó solo en esto, en la luz. La mujer pensó, además, en el color verde. Y se dijo: «Debo de parecer una muerta». De un salto, salió de la brillante luz y se sentó en una silla a la sombra. Aquel señor no se movió. Sus amigos se fijaron en el tono de muerto que aquel rayo de luz le daba. Beethoven seguía sonando en la orquesta. El enamorado caballero contestó con una sonrisa a las bromas de sus compañeros. Pero las damas que acompañaban a Elisa también notaron la apariencia extraña que la luz daba a aquel caballero.

La de Rojas sintió una tentación invencible de decir, en voz bastante alta para que su admirador pudiera oírla, un chiste que se le había ocurrido, y que para ellos tenía más alcance que para los demás.

Le miró con una sonrisa perversa* en los labios y dijo, para los de su palco y segura de que él la oía:

—Ahí tenéis lo que se llama... un viejo verde.[91]

Las amigas celebraron el chiste con risitas y miradas de inteligencia.

El viejo verde, que se había oído llamar, no salió del palco hasta que Beethoven calló. Salió del rayo de luz y entró en la oscuridad para no salir nunca de ella.

Elisa Rojas no volvió a verle.

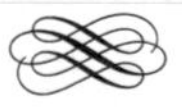

Pasaron años y años. La de Rojas se casó con cualquiera. Pero antes y después del matrimonio, sus fantasías, tristezas y remordimientos[92] buscaron el amor más antiguo, el imposible. Tardó mucho en olvidarle. Nunca le olvidó del todo.

En los días de crisis, cuando se sentía humillada, lloraba la ausencia de aquellos ojos siempre fieles. Los ojos amados. «¡Aquel señor sí que me quería, aquel sí que me adoraba!».

Una noche de luna, en primavera, Elisa Rojas y unas amigas inglesas visitaban el cementerio civil[93] de una ciudad del sur de España. El cementerio estaba en una montaña junto al mar. La luz

---

[91] *Un viejo verde:* hombre de edad avanzada que manifiesta deseos sexuales por mujeres más jóvenes.

[92] *Remordimientos:* sentimientos de culpa.

[93] *Cementerio civil:* cementerio donde enterraban a las personas no católicas.

de la luna besaba el mármol de las tumbas, limpias, la mayoría con inscripciones* de letra gótica, en inglés o en alemán.

En una modesta pero elegante tumba, Elisa leyó, a la luz de la luna llena, una breve y extraña inscripción. Estaba en español y decía: «Un viejo verde».

De repente sintió la seguridad de que aquel viejo verde era el suyo. Sintió esta seguridad porque recordó que una de las poquísimas veces que aquel señor la había oído hablar, ella describía aquel cementerio protestante[94] que ya había visto otra vez, de niña, y que la había impresionado mucho.

«¡Por mí, pensó, se enterró como un pagano![95] Como lo que era, pues yo fui su diosa».

Sin que nadie la viera, mientras sus amigas admiraban la luna, se quitó un pendiente y, junto a la frase que allí se leía «Un viejo verde», escribió temblando: «Mis amores».

Me parece que el cuento no puede ser más romántico, más imposible…

[94] *Protestante:* perteneciente a alguna de las Iglesias cristianas formadas después de la Reforma.

[95] *Pagano:* persona que no es cristiana o no sigue una de las religiones mayoritarias.

V

UN JORNALERO[96]

Fernando Vidal salía de la Biblioteca de N***. Allí había estado trabajando, como era su costumbre, desde las cuatro de la tarde. Eran las nueve de la noche, acababa de oscurecer.*

La biblioteca solo estaba abierta al público por la mañana, pero Fernando podía disfrutar de ella todas las tardes y todas las noches, con algunas condiciones. Él debía ir siempre solo; pagar la luz que empleaba, y abrir y cerrar la biblioteca. Después de salir, tenía que dejar las llaves en casa del conserje.[97]

Era N*** una ciudad de muchos miles de habitantes, rica, llena de fábricas, de gente trabajadora. Pero únicamente Fernando quería disfrutar de su biblioteca.

Así, aquella noche, cuando terminó de trabajar, Fernando cerró, como siempre, la puerta de la calle y fue hacia la casa del conserje. Estaba a pocos metros de la biblioteca, en el mismo edificio.

---

[96] *Jornalero:* persona que trabaja por un salario diario.

[97] *Conserje:* persona responsable de cuidar y limpiar un edificio público y de guardar sus llaves.

Pero llamó en vano.[98] No abrían, no contestaban.

«No hay nadie», pensó, sin darse cuenta de que era extraño que no hubiera nadie en casa del conserje. En aquel momento se fijó también en otra cosa. En que la noche era oscura. En que había tres faroles[99] a lo largo de la calle y ninguno estaba encendido. Por la calle de la biblioteca no pasaba nadie. Silencio absoluto.

Una explosión lejana le hizo exclamar:

—¡Un tiro!

Y el tiro, más bien la palabra, le trajo a la actualidad, a la vida real de su pueblo.

—Cuando salí de casa, después de comer, en el café oí decir que esta noche se armaba;[100] que los socialistas o los anarquistas, o no sé quién, preparaban un golpe de mano[101] para sacar de la cárcel a no sé qué presos de su partido.

Debe de ser eso. Debe de estar armada.

¡Dios mío! —siguió reflexionando— si aquí pasa algo grave, mañana quizá esté cerrada la biblioteca. Quizá no me permitan o no pueda yo venir por la tarde a terminar mi investigación del códice.[102] Y si mañana no termino mi trabajo, el próximo número de la Revista Sociológico-histórica sale sin mi artículo... Quién sabe si se me adelantará Mr. Flinder en la Revista de Ciencias morales e históricas de Zúrich. ¿Será verdad que Mr. Flinder ya vio este códice el año pasado, cuando yo estuve en Vichy?

---

[98] *En vano:* inútilmente.

[99] *Faroles:* cajas de vidrio u otra materia transparente, dentro de la cual se pone una luz.

[100] *Se armaba:* se formaban problemas, desorden.

[101] *Golpe de mano:* acción inesperada y llevada en secreto, que altera una situación en beneficio de quien la realiza.

[102] *Códice:* libro manuscrito* muy antiguo.

No, mil veces no; eso no puedo permitirlo. Los teóricos del socialismo me son antipáticos. Flinder seguro que se aprovecha. Querrá convertir los datos en pruebas indiscutibles de sus teorías. Eso, vive Dios, es profanar[103] la historia, el arte, la ciencia... No, no; yo diré primero la verdad desnuda, reconociendo todo lo que este manuscrito aporta a la cuestión.

Sonó otro tiro.

«Pues debe de ser eso. Debe de estar armada». Vidal caminó calle arriba. Dio la vuelta a la esquina, que estaba lejos de la biblioteca, como a treinta pasos. El brillo de un fuego iluminó un montón sin formas, oscuro, que cerraba la calle. «Debe de ser una barricada».[104]

Alrededor del fuego pudo ver algunas sombras. «Hombres con armas», pensó; «no son soldados; deben de ser obreros. Estoy en poder de los enemigos... del orden».

Una serie de disparos confirmó sus sospechas. Oyó gritos confusos, gritos de dolor...

No cabía duda, se había armado. «Aquello era una barricada, y por allí no había salida».

Volvió atrás y al llegar a la puerta de la biblioteca se detuvo, se rascó* detrás de una oreja y pensó.

«Mañana, por bien o por mal, esto estará cerrado; mi artículo no podrá salir a tiempo... puede adelantarse Flinder... No dejemos para mañana lo que podemos hacer hoy».

Se oyeron a lo lejos más tiros, mientras Vidal metía la gran llave en su cerradura* y abría la puerta de la biblioteca. Al cerrar por dentro oyó más disparos, mucho más cercanos, y voces y lamentos.

---

[103] *Profanar:* tratar algo sagrado sin respeto.

[104] *Barricada:* muro que se hace con tablas, palos, piedras, etc., para impedir el paso al enemigo. Es frecuente en las revueltas populares.

Subió la escalera a tientas.[105] Al llegar a otra puerta cerrada se dio cuenta de que caminaba a oscuras. Encendió un fósforo,* abrió la puerta que tenía delante; encendió una lámpara de petróleo. Entró con su luz en el salón de la biblioteca, buscó sus libros y manuscritos. A los cinco minutos trabajaba con ardor febril,[106] olvidado del mundo entero, sin oír los disparos que sonaban cerca. Así estuvo no sabía cuánto tiempo. Tuvo que interrumpir su labor porque la lámpara empezó a apagarse. Fernando maldijo[107] su suerte, su mala memoria que no le había hecho recordar que la lámpara tenía poco petróleo. En fin, recogió los papeles rápidamente, y salió de la biblioteca a oscuras, a tientas. Llegó a la puerta de la calle, abrió, salió. Al dar la vuelta para cerrar, sintió que dos manos de hierro lo agarraban por los hombros. Unas voces roncas y feroces le gritaban:

—¡Alto!

—¡Date preso!

—¡Un burgués!

—¡Matadlo!

«¡Son ellos —pensó Vidal— los seguidores de las ideas de Mr. Flinder!».

Eran los socialistas, anarquistas o Dios sabía qué. Habían hecho lo que habían querido con otros burgueses que habían encontrado por aquellos lugares. Quedaban algunos malheridos.* El aspecto de Fernando no demostraba que fuera rico. Eso los enfadó más en vez de tranquilizarlos. Su intención era fusilarlo* y así se lo hicieron saber.

---

105 *A tientas:* tocar algo con las manos para reconocerlo en la oscuridad.

106 *Trabajaba con ardor febril:* trabajaba intensamente.

107 *Maldijo:* manifestó su enojo en voz alta, con palabras fuertes e insultos.

Uno que parecía el cabecilla,[108] se fijó en el edificio de donde salía Vidal y exclamó:

—Esta es la biblioteca; ¡es un sabio, un burgués sabio!

—¡Que muera! ¡Que muera!

—Matadlo a librazos... Eso es, arriba, a la biblioteca, que muera a golpes... de libros, de libros miserables* que han publicado el clero, la nobleza,* los burgueses para explotar al pobre, engañarle y hacerle esclavo moral y material.

—¡Bravo, bravo!

—Mejor es quemarle en una hoguera de papel...

—¡Eso, eso!

—Que arda en su biblioteca...

Y a empujones, Fernando fue arrastrado por aquella corriente de brutalidad[109] apasionada. Lo llevaron hasta el mismo salón donde él trabajaba, poco antes, en el códice.

Los hombres llevaban faroles que iluminaron el salón con una luz roja. El grupo no era muy grande, pero sí muy violento.

—Señores —gritó Vidal con gran energía—. En nombre del progreso les pido que no quemen la biblioteca... Esos libros... son inocentes... no dicen que sí ni que no; aquí hay de todo. Ahí están, en esos tomos grandes, las obras de los Santos Padres;[110] algunas de sus palabras les dan a ustedes la razón contra los ricos... En ese estante pueden ustedes ver a los socialistas y comunistas del 45... Ahí tienen ustedes *El Capital* de Carlos Marx. Y en todas esas biblias, colección preciosa, hay multitud de argumentos socialistas y la misma

[108] *Cabecilla:* jefe de rebeldes.

[109] *Brutalidad:* excesiva violencia o crueldad.

[110] *Santos Padres:* autoridades de la iglesia católica.

vida de Job. ¡Esa es la filosofía seria, la que sabrán las clases pobres y cultas de siglos futuros muy lejanos!

Fernando se quedó pensativo e interrumpió su discurso que, aunque poco comprendido, había producido su efecto. El cabecilla, que era un teórico a la moderna, de café y de club, extendió una mano para tranquilizar a los rebeldes.

—Tranquilos, dijo... vamos con orden. Vamos a oír a este burgués... Antes de que llegue la venganza, podemos discutir. Pruébanos que esos libros no son nuestros enemigos, y los salvas de las llamas. Pruébanos que tú no eres un miserable burgués, un vago que vive de la sangre del obrero... pruébalo y te perdonamos la vida, que tienes ahora en peligro.

—No, no; que muera... que muera ese... sofista[111] —gritó un zapatero* utilizando una palabra que no entendía, pero que pronunciaba correctamente.

—¡Es un sofista! —repitió el resto y una docena de bocas de fusil* se acercaron al rostro y al pecho de Fernando.

—¡Paz!... ¡paz!... ¡tregua!*... —gritó el cabecilla que no quería matar sin ganar antes al sofista—. Podemos oírle, discutir...

Fernando, distraído, sin pensar en el inmenso peligro que corría, hacía psicología popular, investigación sociológica. Su imaginación le llevaba a pensar en Mr. Flinder y tantos otros que eran en último análisis los culpables de toda aquella confusión de ideas y pasiones.

—¡Que muera! —volvieron a gritar.

—No, que se disculpe... que diga qué es, cómo gana el pan que come...

[111] *Sofista:* persona que utiliza argumentos falsos en sus juicios y reflexiones.

—¡Oh! tan bien como tú, tan honradamente[112] como tú —gritó Vidal, volviéndose al que lo decía, firme, apasionado, mientras separaba con las manos los fusiles que le apuntaban.

Le habían herido en lo vivo.

Después de haber tenido mil clases de vanidades en su ya larga vida de sabio y escritor, ya solo le quedaba el orgullo de su trabajo. No reconocía virtud alguna digna de ser llamada así, más que la del trabajo; ¡oh, pero esta sí! «Tan bien como tú. Sea lo que sea[113] de la lucha de capitalistas y obreros, tienes que saber que yo soy hombre de no meter en la boca una porción* de pan, aunque muera de hambre, sin estar seguro de que lo he ganado honradamente…

»He trabajado toda mi vida, desde que tuve uso de razón.[114] Yo no pido ocho horas de trabajo, porque no son suficientes para la inmensa tarea que tengo delante de mí. Yo soy un albañil[115] que trabaja en una pared que sabe que no verá concluida. Yo trabajo en la filosofía y en la historia y sé que cuanto más trabajo me acerco más a la verdad. He tenido en el mundo ilusiones, amores, ideales, hasta grandes ambiciones. Todo lo he ido perdiendo. Ya no creo en las mujeres, en los héroes, en las creencias, en los sistemas; en lo único que creo es en el trabajo. Es la historia de mi corazón, el espejo de mi existencia. Me reconozco en el sudor de mi frente y en el cansancio de mi alma. Soy un jornalero del espíritu. Trabajo a la hora de dormir, a oscuras, en mi cama, sin querer, trabajo en el aire, sin sueldo, sin ganancias… Y de día sigo trabajando para ganar el alimento y para adelantar en mi obra… Yo no pido liberación, yo no pido venganzas… Desde los

---

[112] *Honradamente:* de forma honesta.

[113] *Sea lo que sea:* da igual; no importa.

[114] *Desde que tuve uso de razón:* desde que fui capaz de pensar.

[115] *Albañil:* persona que se dedica a la construcción de edificios.

diez años, no ha oscurecido una vez sin que yo trabajara. De niño, de adolescente, lo hacía junto a la lámpara de mi madre. Mi trabajo era escuela de mi alma, compañía de la vejez de mi madre, oración de mi espíritu y pan de mi cuerpo y el de una anciana.

»Éramos tres: mi madre, el trabajo y yo. Hoy ya estamos solos yo y mi trabajo. No tengo más familia. Pasará mi nombre, morirá pronto mi recuerdo, pero mi trabajo quedará en los archivos, entre el polvo. Será como un carbón* que quizá encienda y dé fuego algún día…»

—Pero a ti no te han explotado; tu sudor no ha servido de sustancia para que otros engordaran… —interrumpió el cabecilla.

«—Con mi trabajo —prosiguió Vidal— se han hecho ricos otros; empresarios, capitalistas, editores de bibliotecas y periódicos; pero no estoy seguro de que no tuvieran derecho a hacerlo. Ese es un problema muy complejo.

»No tengo tiempo para investigar ese problema, porque lo necesito para trabajar directamente en mi propia labor. Lo que sé, que este trabajo constante, con el cuerpo doblado, las piernas quietas, el cerebro hirviendo sin cesar me ha destruido el estómago. El pan que gano apenas lo puedo digerir[116]… y lo que es peor, las ideas que produzco me envenenan el corazón y me descomponen el pensamiento… Pero no puedo ni siquiera quejarme… No sufro menos que vosotros y yo no puedo ni quiero remedio ni represalias; porque no sé si hay algo que remediar, ni si es justo remediarlo… No duermo, no digiero, soy pobre, no creo, no espero… no odio… no me vengo… Matadme si queréis, pero respetad la biblioteca, que es un depósito de carbón para el espíritu del porvenir…». Los rebeldes callaban, respetando el misterio de aquello que no se entiende; el Dios al que adoran las masas modernas y tal vez de las de siempre.

[116] *Digerir:* hacer la digestión.

El discurso había calmado las pasiones. Los obreros no estaban convencidos, sino confusos, tranquilos aún sin desearlo. Olvidaban por un momento la acción y se detenían a comentar, a meditar, quietos. Aquel lugar, aquellas paredes de libros, les quitaba las fuerzas.

De pronto oyeron ruido lejano. Un grupo de soldados subía por la escalera. Estaban perdidos. Hubo una resistencia inútil. Algunos disparos; dos o tres heridos. Al poco rato, aquel grupo de rebeldes estaba en la cárcel. Vidal estaba entre ellos. En opinión, terrible y poderosa opinión, del jefe de la tropa vencedora, aquel señorito loco era el capitán del grupo de anarquistas sorprendido en la biblioteca. A todos se les formó consejo de guerra,[117] como era normal. La justicia sumarísima[118] de la ley marcial[119] y el miedo del cabecilla y el odio de sus compañeros acabaron con Fernando. Estaban todos contra aquel traidor, aquel policía secreto, o lo que fuera, que les había engañado con sus teorías, con sus discursos y les había hecho olvidarse de su misión, de su situación, del peligro... Todos declararon contra él. Sí, Vidal era el jefe. El cabecilla salvaba así la vida, porque la piedad en estado de sitio decidió que la última pena solo se aplicara al líder, a Vidal. Y así el que quería discutir con él las bases de la sociedad, el cabecilla verdadero, quedaba en el mundo para predicar, e incendiar en su caso. El pobre jornalero del espíritu, el distraído y sabio Fernando Vidal pasaba a mejor vida[120] por la vía de los clásicos y muy conservadores cuatro tiritos.[121]

---

[117] *Consejo de guerra:* tribunal militar formado por generales y oficiales del ejército.

[118] *Justicia sumarísima:* juicio que se realiza brevemente y sin algunas de las formalidades o trámites de la justicia ordinaria.

[119] *Ley marcial:* ley aplicada por los militares durante el estado de guerra.

[120] *Pasaba a mejor vida:* moría.

[121] *Cuatro tiritos:* descargas de fusil. Vidal fue fusilado.

VI

LA RONCA

Juana González era una dama joven en la compañía de Petra Serrano y también era su doncella.[122] Además de por todo esto, Juana sentía un gran cariño hacia Petra porque le había hecho feliz casándola con Pepe Noval. Él era un segundo galán* cómico, muy pálido, muy triste en la vida, muy alegre y gracioso en las tablas.[123]

Noval había trabajado muchos años sin honra ni provecho[124] hasta que llegó a la compañía de la famosa Petra Serrano, donde se sintió feliz. Y logró ser mucho más feliz enamorándose de Juana y siendo su esposo.

Formaban una pareja de marido y mujer, humilde, siempre muy unida, callada. Él muy pequeño y ella delgada. En todas partes se les veía juntos, intentando ocupar entre los dos el lugar que bastaría para una persona de buen tamaño. Y, siempre era lo mismo: cada uno comía media ración* y hablaban entre los dos lo que hablaría una persona callada.

---

[122] *Doncella:* asistenta, persona que se ocupa de ciertas labores domésticas.
[123] *Tablas:* escenario.
[124] *Sin honra ni provecho:* sin obtener beneficio económico, profesional o moral.

A veces uno sustituía el trabajo del otro. Incluso Noval, sin caer en el ridículo, era algo criado de Petra también, por seguir a su mujer.

El tiempo que Juana tenía que estar separada de su marido, intentaba estar al lado de la Serrano. En el cuarto de la primera dama ayudaba con el peinado y cuando no la necesitaba, la miraba desde un rincón de un diván.[125] Desde allí, oía y callaba y, sobre todo observaba, porque su pasión era aprender todo lo que podía del mundo y de los libros.

Leía mucho, juzgaba a su manera, sentía mucho y bien. Pero estas cualidades solo las conocía Pepe Noval. Ante él, Juana no sentía vergüenza de ser una mujer ingeniosa,[126] educada, graciosa y soñadora.[127]

A solas, en casa se exhibían el uno delante del otro, porque también Noval tenía sus habilidades: era un gran trágico y un gran cómico.* Pero delante del público y de los compañeros no se atrevía a enseñar estas habilidades, porque eran extrañas y diferentes a la rutina* dominante. Noval ejercía, sin grandes teorías, una escuela de naturalidad escénica,[128] de sinceridad dramática, de alegría artística, muy diferentes a los gustos y costumbres del público, de los autores, de los demás cómicos y de los críticos. Ni el marido de Juana tenía la intención de mostrar su arte, ni Juana mostraba interés en que la gente se enterase de que ella era ingeniosa e inteligente. Las pocas veces que Noval había sido natural en escena, ni el público ni los compañeros lo apreciaron. Noval, sin odio, volvía a su humilde condición de actor secundario. En casa hacía reír a su mujer o la ate-

---

[125] *Diván:* asiento o sofá largo y sin brazos ni respaldo.

[126] *Ingeniosa:* que tiene talento, que es lista.

[127] *Soñadora:* que le gusta imaginar, que cree que se cumplirán sus ideales.

[128] *Naturalidad escénica:* forma natural y espontánea de actuar.

rraba con el Otelo de su invención o entristecía con el Hamlet que él había ideado.

Ella también era mejor cómica en casa que en las tablas. En el teatro, y delante del mundo entero, tenía un defecto que la convertía en una lisiada[129] del arte. Cuando tenía que hablar a varias personas que la escuchaban con atención, a Juana se le ponía una telilla en la garganta[130] y la voz le salía fina, delicada. Una voz de un sonido singular, que para unos pocos tenía una especie de gracia sin explicación. El público, en general, solo la apreciaba en rarísimas ocasiones. En determinados momentos, el papel se adaptaba al defecto fonético* de la González. Entonces, en la sala había un rumor de sorpresa, de satisfacción, que el público no quería reconocer y despertaba un ligero rumor de admiración.

Cuando pasaba ese momento, Juana seguía siendo una actriz que no llamaba la atención de verdad. Por sí misma, por sus pobres habilidades en la escena, Juana no sentía tristeza, pero sí en cuanto al desdén[131] con que miraban a su marido. En silencio, sin decírselo ni siquiera a él, sentía como una espina* que el público no viera el arte de Pepe.

Una noche entró en el cuarto de Petra Serrano don Ramón Baluarte, el único crítico que sabía comprender su trabajo. Don Ramón Baluarte, con casi cuarenta y cinco años, era uno de los pocos ídolos literarios que Juana admiraba en secreto. Tan secreto que ni

[129] *Lisiada:* que tiene alguna lesión o impedimento para hacer algo.
[130] *Telilla en la garganta:* algo que obstaculizaba su voz.
[131] *Desdén:* indiferencia, desprecio.

siquiera lo sabía su marido. Juana había descubierto en Baluarte la absoluta sinceridad literaria. No provocar jamás, no mentir jamás, no engañarse ni engañar a los demás tenía que ser el lema* de aquella sinceridad literaria.

Baluarte, con estas condiciones, tenía pocos amigos verdaderos, aunque sí muchos admiradores, no pocos envidiosos[132] e infinitos partidarios, por temor a su imparcialidad[133] terrible. Aquella imparcialidad había sido negada y combatida, pero se había ido imponiendo. En el fondo, todos creían en ella y la aceptaban por gusto o por fuerza y esta era la gran ventaja de Baluarte. Otros le habían superado en ciencia, en habilidad de estilo, en gracia; pero los juicios de don Ramón continuaban siendo los definitivos. Parecía que se le hacía poco caso, pero su opinión era la mejor para todos.

Iba poco a los teatros, y casi nunca entraba en los salones o en los cuartos de los cómicos. No le gustaban cierta clase de confianzas, que haría dificilísima su tarea de justiciero.[134] A Juana le encantaba todo esto, le oía como a un oráculo,[135] leía muchos de sus artículos, pero nunca había hablado con él, por no encontrar nada digno que contarle. Baluarte visitaba a la Serrano más que a otros artistas, porque era una de las pocas grandes actrices del teatro a quien apreciaba con la conciencia tranquila. Jamás se había fijado en aquella joven que oía, siempre callada, desde un rincón del cuarto.

Una noche, don Ramón entró muy alegre, más decidido que otras veces, y apretó la mano de Petra con intensidad. Petra, brillante de

---

[132] *Envidiosos:* que sienten envidia.

[133] *Imparcialidad:* ausencia de preferencia hacia alguien o algo al juzgar un asunto.

[134] *Justiciero:* que respeta y hace respetar la justicia con rigor.

[135] *Oráculo:* aquí, persona sabia cuya opinión es respetada.

alegría, le tendió su mano en busca de una enhorabuena, que iba a apreciar más que todos los regalos que tenía sobre las mesas de la sala.

—Muy bien, Petrica,[136] muy bien, de verdad bien. Eso es naturalidad, fuerza, frescura, gracia, vida; muy bien.

Baluarte no dijo nada más. Pero ya era bastante. Petra no veía su imagen en el espejo, de puro orgullo, de orgullo no, de vanidad. No esperaba más elogios.* Don Ramón no los repetía, pero la Serrano se puso a pensar despacio lo que había oído.

Al poco rato, don Ramón añadió:

—¡Ah! Pero, no es usted sola la que está de enhorabuena. He visto ahí, un muchacho, uno pequeño, muy modesto, el que tiene con usted aquella escena accidental de la limosna.[137]

—Pepe Noval.

—Ha estado admirable. Me ha hecho ver todo un teatro como debía haberlo y no lo hay... El chico tal vez no sabrá lo que hizo, pero estuvo de verdad inspirado. El público le aplaudió, pero poco. ¡Oh! Cosa magnífica. Como no le echen a perder[138] con elogios tontos y malos ejemplos, ese chico tal vez sea una maravilla...

A Petra le dio alegría ese comentario y sonrió hacia el rincón de Juana. Estaba roja, con la mirada fija en don Ramón Baluarte.

—Ya lo oyes, Juana.

—¿Esta señorita...?

—Esta señora es la esposa de Pepe Noval.

Don Ramón se puso algo rojo. Miró a Juana y dijo con voz algo seca:

---

[136] *Petrica:* forma cariñosa de llamar a Petra.

[137] *Limosna:* dinero, alimento o ropa que se da a la gente que lo necesita.

[138] *Echar a perder:* estropearse algo o alguien en sentido literal o figurado.

—He dicho la pura verdad.

Juana sintió mucho, después, no haber podido dar las gracias. Pero, amigo, la ronquera[139] ordinaria se había convertido en afonía.[140] No le salía la voz de la garganta. Juana estaba muy agradecida,* pero no dijo nada. Se inclinó, se puso pálida, saludó muy a lo zurdo;[141] por poco se cae del diván… Murmuró* no se sabe qué… pero no habló nada. ¡Su don Ramón, su ídolo literario, admirando a su Pepe, a su marido de su alma! ¿Había felicidad mayor posible? No, no la había.

Baluarte, en noches posteriores, reparó varias veces en un joven que entre bastidores le saludaba y le sonreía como adorándole. Era Pepe Noval, a quién su mujer se lo había contado todo. El chico sintió el mismo placer que su esposa, pero tampoco dio las gracias al crítico. Además, le tenía miedo. Saludarle, adorarle, bien, pero hablarle ¡qué miedo!

Pepe Noval murió de viruelas.[142] Su viuda se retiró del teatro, creyendo que, faltándole Pepe, no iba a vivir mucho. Le bastaría con sus pocos ahorros. Pero no fue así. La vida, aunque tristísima, no se acaba. El hambre venía y tuvo que volver al trabajo. Pero cuando Juana volvió, el dolor, la tristeza, la soledad habían marcado su cara, sus gestos y hasta su cuerpo. Sus atractivos de modesta y silenciosa se mezclaban con la pena y la tristeza de su alma. Parecía, además,

---

[139] *Ronquera:* molestia en la garganta que hace que la voz suene grave y áspera.
[140] *Afonía:* pérdida de la voz.
[141] *Muy a lo zurdo:* muy torpemente.
[142] *Viruelas:* enfermedad que produce fiebre y ampollas en la piel.

que todo su talento se había trasladado a la acción. Parecía también que había heredado la habilidad oculta de su marido. La voz era la misma de siempre. Pero el público, al verla ahora al lado de Petra Serrano, se fijó más en ella. Y empezó a llamarla y aun a alabarla* con este apodo: la *Ronca*. La *Ronca* fue en adelante para público, actores y críticos. Aquella voz velada[143] era de efecto mágico en los momentos de pasión concentrada. En las circunstancias ordinarias constituía un defecto, que tenía cierta gracia, pero un defecto.

Don Ramón Baluarte fue desde luego el principal defensor del gran mérito de Juana en su segunda época. Ella se lo agradeció con la gratitud de quien había sabido admirar al pobre Noval, al querido esposo perdido. Esa gratitud que Juana conservaba como un monumento en recuerdo del cómico, ya olvidado por el mundo.

Juana, en secreto, para agradecer a Baluarte el bien que le había hecho admirando a su marido, leía mucho sus obras, pensaba y lloraba sobre ellas. Vivía según las doctrinas y las frases del crítico artista. Hablaban entre ellos, se trataban; eran amigos.

La Serrano los miraba y se sonreía, conocía el entusiasmo de Juana por Baluarte. Un entusiasmo que, en su opinión, iba mucho más lejos de lo que sospechaba Juana misma. Al principio los triunfos de la González la alarmaron un poco. Ella, que también mejoraba, que también aprendía, no tardó mucho en tranquilizarse. Si la envidia había nacido en su alma, había desaparecido gracias al amor propio y la vanidad satisfecha. Juana, pensaba Petra, siempre tendrá la inferioridad de la voz. Siempre será la *Ronca*, no me igualará nunca.

---

[143] *Velada:* que suena de forma muy débil, sin fuerza.

En tanto Juana intentaba aprender, mejorar. Quería crecer en el arte, para desagraviar[144] en su persona a su marido olvidado. Seguía su ejemplo y ponía en práctica las doctrinas ocultas de Pepe. Además se esforzaba en seguir los consejos de Baluarte, su ídolo estético. Hacía todo por agradarle. En esta vida llegó a sentirse feliz, con un poco de remordimiento. En su alma juntaba el amor del muerto, el amor del arte y el amor del maestro amigo. Verle casi todas las noches, oírle de vez en cuando una frase de elogio, de animación, ¡qué suerte!

Una noche se trataba en el salón de la Serrano una difícil cuestión: quiénes debían de ser los pocos artistas del teatro español que el Gobierno eligiera para representar dignamente* nuestra escena en un certamen* teatral en una corte extranjera. Había que escoger con mucho cuidado. Elegir a los mejores que también lo parecieran fuera de España. El Ministro de Fomento[145] había elegido a Baluarte para la elección. En otra compañía ya había escogido a algunos actores. Ahora tenía que escoger en la de Petra.

Se había convenido que Petra Serrano iría al certamen. Baluarte, en pocas palabras, dio a entender la sinceridad con que proclamaba el mérito de la actriz famosa. Después se decidió que la acompañara Fernando, un galán joven que se había hecho famoso a su lado. En un salón estaban los actores de la compañía, Baluarte y otros dos o tres literatos, amigos de la compañía. Hubo un momento de silencio. En el rincón de siempre, Juana González, humillada y ardiendo

[144] *Desagraviar:* reparar un daño causado.
[145] *Ministro de Fomento:* cargo político del gobierno.

de ansiedad, esperaba una sentencia en palabras o un silencio doloroso. «¡Baluarte no se acordaba de ella!» Los ojos de Petra brillaban de egoísmo pero callaba. Un envidioso, un cómico envidioso se atrevió a decir:

—Y… ¿no va la *Ronca*?

Baluarte, sin miedo, tranquilo, sin dudar, como si en el mundo hubiera justicia pero no corazones, ni amor propio, dijo, con el tono más natural y sencillo:

—¿Quién, Juanita? No; Juana ya sabe donde llega su mérito. Su talento es grande, pero no es suficiente para el asunto que se trata. No puede ir más que lo mejor de lo mejor.

Y sonriendo, añadió:

—Esa voz que a mí me encanta muchas veces… en arte, en puro arte, la perjudica. Lo absoluto es lo absoluto.

No se habló más. El silencio se hizo insoportable* y se disolvió la reunión. Todos comprendieron que allí, con la apariencia más tranquila, había pasado algo grave.

Petra y Baluarte se quedaron solos. Juana había desaparecido. La Serrano, brillante, agradecida por aquel triunfo, que solo se podía deber a Baluarte, le dijo:

—¡Buena la ha hecho usted! Los críticos son implacables. ¿Usted no sabe que le ha dado un golpe mortal a la pobre Juana? ¿No sabe usted que ese desprecio la mata?

Y volviéndose al crítico con ojos de pasión, y tocando casi su rostro, añadió con misterio:

—¿Usted no sabe, no ha comprendido que Juana está enamorada, loca por usted, por su ídolo? ¿Usted no sabe que todas las noches duerme con su libro entre sus manos, que le adora?

Al día siguiente se supo que la *Ronca* había salido de Madrid, dejando la compañía, dejándolo todo. No volvió al teatro hasta que unos años después tuvo que volver a los de provincias por hambre.

Don Ramón Baluarte era un hombre que había nacido para el amor, y envejecía soltero. Nunca le había amado una mujer como él quería ser amado. El corazón le dijo que la mujer que le amaba como él quería era la *Ronca*. ¡A buena hora![146]

Y el crítico decía suspirando cuando se acostaba:

—¡Maldito* sacerdocio![147]

---

[146] *¡A buena hora!:* ¡demasiado tarde!

[147] *Sacerdocio:* aquí, dedicación total a su profesión con sacrificio.

VII

EL SUSTITUTO*

Estaba mordiéndose las uñas de la mano izquierda, vicio en él muy viejo y vergonzoso.[148] Y acababa de escribir en una hoja de papel muy blanco:

Quiero cantar, por reprimir el llanto,*
tu gloria, oh, patria, al verte en la agonía...*

Eleuterio Miranda, el mejor poeta de la zona, se estaba mordiendo las uñas y estaba de mal humor y a punto de romper la pluma con la que estaba escribiendo una oda[149] de encargo.[150]

En ese tiempo, España estaba en guerra[151] y toda la gente importante del pueblo, junto con el alcalde, pidieron a Eleuterio que escribiese unos versos sobre ese hecho histórico. Así, se celebraría una fiesta patriótica,* cuyo beneficio se usaría para los gastos de

---

[148] *Vergonzoso:* que causa vergüenza.
[149] *Oda:* poesía lírica de carácter solemne.
[150] *De encargo:* que se hace a petición de alguien.
[151] *Guerra de África, 1859-1860.*

la guerra. Por ello, querían unos versos bastante largos y magníficos, en los que se hablara de Otumba, de Pavía... y otros generales famosos.

Aunque Eleuterio no era un grandísimo poeta, sí que tenía cierta malicia y buen sentido. Así, bien comprendía qué ridículo resultaba, en el fondo, aquello de contribuir a salvar la patria que se perdía, con versos al estilo de Quintana.[152]

En otros tiempos, cuando él tenía dieciséis años y no había estado en Madrid ni estaba suscrito al *Fígaro* de París, había sido poeta épico.[153] Entonces había cantado a la patria y a los intereses morales y políticos. Pero ahora ya había cambiado mucho y no creía más que en la poesía íntima... y en la prosa* de la vida. Por sobrevivir, se decidió a escribir una oda patriótica. Quería trabajar en la secretaría del Ayuntamiento y por eso le interesaba estar bien con los gobernantes que le pedían la oda. Volvió a morderse las uñas y a repasar lo de

Quiero cantar, por reprimir el llanto,
tu gloria, oh, patria, al verte en la agonía...

Y otra vez se detuvo, no por dificultades técnicas, sino porque de repente le asaltó una idea en forma de recuerdo:

Mas ¡ay! que temerario,[154]
en vano quise levantar el vuelo,
*por llegar al santuario**
del patrio amor, en la región del cielo.

[152] *Manuel José Quintana (Madrid, 1772-1857):* poeta de la Ilustración que casi siempre escribía poemas de tema moral, patriótico o político.
[153] *Épico:* que trata de los héroes.
[154] *Temerario:* persona que no tiene cuidado ni miedo en situaciones peligrosas.

Mas, si no pudo tanto
mi débil voz, mi pobre fantasía,
corra mi sangre, como corre el llanto,
en holocausto[155] *de la patria mía.*
¡Guerra! no más arguyo...[156]
el plectro[157] *no me deis, dadme una espada:*
si mi vida te doy, no te doy nada,
patria, que no sea tuyo;
porque al darte mi sangre derramada,
el ser que te debí te restituyo.[158]

Se sentía satisfecho del poema, a pesar de la rima,[159] que no le gustaba mucho. Entonces, sintió de repente como un sonido dentro de la cabeza. Una voz parecía que le gritaba: ¡Ramón!

Eleuterio tuvo que levantarse y empezar a pasear por su despacho. Y al pasar enfrente de un espejo notó que se había puesto muy colorado.

—¡Maldito Ramón! Es decir... maldito, no, ¡pobre! Al contrario, era un bendito.*

---

[155] *Holocausto:* asesinato brutal de muchísimas personas por razones políticas, religiosas o relacionadas con la raza.
[156] *Arguyo:* dar argumentos a favor o en contra de algo.
[157] *Plectro:* pequeña pieza usada para tocar instrumentos de cuerda. En poesía, inspiración, estilo.
[158] *Te restituyo:* te devuelvo.
[159] *Rima:* en la poesía, semejanza o igualdad que existe entre los sonidos de las palabras finales de los versos.

Un bendito Ramón, y un valiente. Valiente, a pesar de que en el pueblo le llamaban gallina[160] porque era muy tímido. Pero resultaba una gallina valiente. Así lo son todas cuando tienen cría y defienden a sus polluelos.[161]

Ramón no tenía polluelos. Al contrario, él era el polluelo. Pero su madre se moría de frío y de hambre. Era una pobre vieja medio ciega y que ya ni podía seguir trabajando para darles a sus hijos el pan de cada día.

La madre de Ramón, viuda, tenía en alquiler una pequeña tierra que era de don Pedro Miranda, padre de Eleuterio. La infeliz no pagaba la renta. ¡Cómo iba a pagar si no tenía con qué! Años y años se le iban echando encima con una deuda, para ella enorme. Don Pedro se aguantaba. Pero, al fin, como los tiempos estaban malos para todos, un día ya no aguantó más. «O las rentas o a la calle». Esto, para don Pedro era un problema. Para María, la madre de Ramón, era el final, el fin del mundo, su muerte y la de sus hijos.

Pero en esto le tocó la suerte[162] a Eleuterio, el hijo único de don Pedro, el que escribía en los periódicos de Madrid. Ni en el pueblo ni en la Diputación[163] provincial mandaba el partido de Miranda, el rico terrateniente,[164] así que Eleuterio no podía dejar de ir a servir al ejército y a la patria. El único remedio era pagar una fortuna para librar al chico. Pero los tiempos eran malos y Miranda no tenía tanto dinero.

---

160 *Gallina:* aquí, cobarde.

161 *Polluelos:* crías* del pollo.

162 *Le tocó la suerte:* aquí, salió elegido para ir al ejército, en este caso, a la guerra de África.

163 *Diputación:* institución que administra y dirige una provincia.

164 *Terrateniente:* persona con muchas tierras y fincas.

Entonces, Pedro Miranda se acordó del hijo mayor de María, Ramón, y le dijo a la viuda: o a la calle o pagarme las rentas atrasadas yendo Ramón a servir a la patria en lugar de Eleuterio. Y dicho y hecho. María lloró, suplicó* de rodillas. Al llegar el momento terrible de la partida prefería quedarse en la calle con sus cuatro hijos, pero con los cuatro a su lado, ni uno menos. Pero Ramón, que siempre estaba enfermo, tuvo energía por primera vez en su vida. A escondidas[165] de su madre, se vendió a don Pedro. Su sacrificio sirvió para pagar el alquiler de su madre, sacar algún dinero para dejarle a sus hermanos y a su madre el pan de algunos meses, y para comprarle a su novia, Pepa de Rosalía, un guardapelo[166] de plata.

¿Para qué quería Pepa el pelo de Ramón, un triste mechón* pálido, que mostraba su debilidad física? Ahí verán ustedes. Misterios del amor. Y no lo querría Pepa por el interés. No se sabe por qué le quería. Quizás por fiel, por constante, por humilde, por bueno. En cualquier caso, para sorpresa de los jóvenes del pueblo, la valiente Pepa de Rosalía y Ramón la gallina eran novios. Pero tuvieron que separarse. Él se fue a la guerra y ella se quedó el guardapelo. De tarde en tarde recibía cartas escritas por algún cabo,[167] porque Ramón no sabía escribir, aunque firmaba con una cruz.

Este era el Ramón que se le metió en la cabeza al mejor poeta de su pueblo cuando pensaba el final de su oda a la patria. Y por ello, se le ocurrió una idea.

---

[165] *A escondidas:* de forma secreta, sin ser visto por otras personas.

[166] *Guardapelo:* joya en forma de cajita, que se cuelga al cuello, y que contiene un mechón de pelo..

[167] *Cabo:* profesional del ejército con nivel superior al del soldado.

«No te preocupes, hombre. Don Quijote concluía las estrofas de cierta poesía a Dulcinea,[168] añadiendo el verso corto, *del Toboso*, por dudar si existía. Así, tú puedes escribir con ironía lo siguiente:

Patria, la sangre que ofrecerte quiero,
en lugar de los cantos de mi lira,[169]
no tiene mío más, si bien se mira,
que el haberme costado mi dinero.»

¡Oh, cruel sarcasmo![170] ¡Sí, terrible vergüenza! ¡Cantar a la patria mientras el pobre gallina estaba luchando como un valiente, allá abajo, en tierra de moros,[171] en lugar del señorito Eleuterio!

Rompió la oda, que era lo más decente que, por ahora, podía hacer en servicio de la patria. Cuando el alcalde, el administrador y otros gobernantes vinieron a recoger los versos, gritaron al ver que Eleuterio no había escrito nada. Le hablaron de lo de la secretaría y por miedo a perder la esperanza de ese trabajo, Eleuterio tuvo que sustituir los versos por un discurso improvisado.* Le llevaron al teatro donde se celebraba la fiesta patriótica, y habló. Hizo un discurso en prosa, pero mejor que los versos de la oda. Entusiasmó* al público e incluso a él mismo. Y en el epílogo[172] final, se le volvió a presentar la figura pálida de Ramón. Entre gritos y aplausos de la gente, ofrecía su propia vida, si la patria la necesitaba. Al mismo tiempo, se prometía a sí mismo, por dentro, salir aquella misma noche para África, para luchar al lado de Ramón, o como fuera posible, de voluntario.

---

[168] *Dulcinea:* enamorada imaginaria de don Quijote de la Mancha.
[169] *Lira:* antiguo instrumento musical de cuerda.
[170] *Sarcasmo:* ironía cruel para ofender y molestar a alguien.
[171] *Moros:* personas naturales del norte de África.
[172] *Epílogo:* última parte de una obra literaria en la que se hace la conclusión.

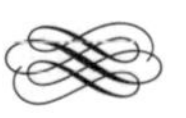

Y lo hizo como lo pensó. Pero al llegar a Málaga para embarcar,* supo que entre los heridos que habían llegado de África dos días antes, estaba en el hospital un pobre soldado de su pueblo. Tuvo una intuición.* Corrió al hospital, y, en efecto, vio al pobre Ramón Pendones próximo a la muerte.

Estaba herido, pero levemente. No era eso lo que le mataba, sino la fiebre. Con la mala vida de campaña,[173] las fiebres le habían dejado muy débil. Había sido durante un mes largo un héroe de hospital. ¡Lo que había sufrido! ¡Lo mal que había comido, bebido, dormido! ¡Cuánto dolor alrededor, qué tristeza fría, qué frío intenso, qué angustia! Y ¿cómo había sido lo de la herida? Pues nada, fue una noche en la que estaba de guardia.[174] Y tenía una enfermedad que llamaban disentería[175] muy fuerte. Así que se había separado un poco de su puesto, por dignidad, por no apestarse* a sí mismo después. Y allí, en un rayo de luna... ¡zas!, un morito le había visto y le disparó. Pero en blando. Total, nada; aquello nada. Pero el frío, la fatiga, los sustos, la tristeza, ¡aquello sí!... y la fiebre, la reina de sus males, le mataba sin remedio.

Y murió Ramón Pendones en brazos del señorito, muy agradecido y recomendándole a su madre y a su novia.

Y el señorito, más poeta y más creador de lo que él mismo pensaba, pero poeta épico, objetivo, salió de Málaga. Pasó el mar y se fue derecho al capitán de Ramón, bravo y con buen corazón y fantasía. Y le dijo:

---

[173] *Vida de campaña:* vida de los militares durante una guerra, en el campo.
[174] *Estar de guardia:* vigilar un soldado el campamento para defenderlo.
[175] *Disentería:* enfermedad infecciosa cuyo síntoma principal es la diarrea.

—Vengo de Málaga. Allí ha muerto en el hospital Ramón Pendones, soldado de esta compañía. He pasado el mar para ocupar su puesto. Así que imagínese que Pendones se ha curado y que yo soy Pendones. Él era mi sustituto. Ocupaba mi puesto en el ejército y yo quiero ocupar el suyo. Que la madre y la novia de mi pobre sustituto no sepan todavía que ha muerto; que no sepan jamás que ha muerto en un hospital de tristeza y de fiebre...

El capitán comprendió a Miranda.

—De acuerdo —le dijo— por ahora usted será Ramón Pendones, pero después, cuando se acabe la guerra... ya verá usted.

—Oh, eso queda de mi cuenta[176] —replicó Eleuterio.

Desde aquel día Pendones respondió siempre otra vez a la lista. Los compañeros, que notaron el cambio, celebraron la idea del señorito. Y el secreto del sustituto fue el secreto de la compañía.

Antes de morir, Ramón había dicho a Eleuterio cómo se comunicaba con su madre y su novia. El mismo cabo que solía escribirle las cartas, escribía ahora las que le dictaba Eleuterio. También las firmaba con una cruz, pues no quería escribir él por si reconocían la letra en el pueblo.

—Pero todo eso —preguntaba quien escribía las cartas— ¿para qué les sirve a la madre y a la novia si al fin han de saber...?

—Deja, deja— respondía Eleuterio ensimismado—. Siempre es un respiro... Después... Dios dirá.

La idea de Eleuterio era muy sencilla, y el modo de ponerla en práctica mucho más. Quería pagar a Ramón la vida que había dado en su lugar. Quería ser sustituto del sustituto. Quería dejar a los

[176] *Queda de mi cuenta:* es responsabilidad mía.

seres queridos de Ramón una buena herencia de fama, de gloria y algo de provecho.

Así, estuvo buscando la ocasión de portarse como un héroe, pero como un héroe de verdad. Murió matando a algunos moros, salvando una bandera, suspendiendo una retirada* y convirtiéndola en una victoria magnífica con su glorioso* ejemplo.

Esto era normal, porque, además de valiente era poeta, y más poeta épico de lo que él pensaba. Sus recuerdos de la *Iliada,* del *Ramayana,* de la *Envida,* de *Los Lusiadas,* de *La Araucana,* del *Bernardo,*[177] etc., llenaron su fantasía para inspirarle un bello morir. Hasta para ser héroe, artista, dramático, se necesita imaginación. No murió como había muerto el pobre Ramón, sino con honor, con elegancia. Su muerte fue conocida. No pudo ser un héroe anónimo, porque sus hazañas y glorioso fin llamaron la atención de todo el ejército. Su nombre figuró en letras grandes en todos los periódicos, diciendo: «Un héroe: Ramón Pendones». Y a su madre le dieron una cruz póstuma,[178] con una pensión, que le ayudó de por vida a pagar la renta a don Pedro Miranda. También el único hijo de este, por cierto, había muerto. Probablemente en la guerra, según decían en el pueblo, pero no se sabía cómo ni dónde.

Cuando el capitán, años después, en secreto siempre, contaba a sus íntimos la historia, muchos solían decir:

---

[177] Títulos de los poemas épicos más importantes de la historia.

[178] *Cruz póstuma:* cruz militar que se entrega a la familia de una persona que ha muerto en la guerra.

«El sacrificio de Eleuterio fue excesivo. No estaba obligado a tanto. Al fin, el otro era sustituto. Estaba pagado y voluntariamente había hecho el trato».

Era verdad. Eleuterio fue excesivo. Pero no hay que olvidar que era poeta y poetas hay pocos.

ACTIVIDADES DE COMPRENSIÓN LECTORA

› Responde a las siguientes cuestiones:

1. ¿Cómo se gana la vida Chiripa?
2. ¿Por qué Chiripa decide entrar en la iglesia la noche en que se desarrolla la historia?
3. ¿Es sincera la conversión de Chiripa?
4. ¿Cómo era el trato del duque de Candelario con los agricultores?
5. ¿Qué pensaba don Diego de los criados?
6. ¿Por qué Ramón recibe el apodo de *el Torso*?
7. ¿Cómo entró Marcela a trabajar en el mundo del teatro?
8. ¿Qué relación existe entre Marcela y la reina Margarita?
9. ¿Qué hicieron Candonga y Marcela con los trajes con los que solían actuar?
10. ¿Cómo supo Elisa que su admirador más antiguo no podía pretenderla?
11. ¿Qué ocurre en el cementerio cuando Elisa está paseando con sus amigas?
12. ¿Qué está pasando en la ciudad donde vive Fernando Vidal?
13. ¿Por qué Fernando Vidal se define a sí mismo como *un jornalero*?
14. ¿Por qué al final fusilan a Fernando Vidal?
15. ¿Por qué el público conocía a Juana González como *la Ronca*?
16. ¿A qué actores escogió Baluarte para ir al certamen?
17. ¿Por qué Baluarte habla de su trabajo como de un *sacerdocio*?

18. ¿Por qué sustituyó Ramón a Eleuterio en la guerra de África?
19. ¿Cómo murió Ramón Pendones?
20. ¿Cuando Ramón murió, qué hizo Eleuterio?

› ¿Verdadero o falso?

21. Para Chiripa es muy importante que los trabajadores exijan una jornada laboral de ocho horas y el aumento de los salarios.
22. Don Juan y su mujer trataban de la misma manera a los criados.
23. Ramón odiaba a don Diego porque lo envió a vivir al Pabellón de la Glorieta.
24. Marcela quería ser una gran artista.
25. Candonga era un famoso tenor que venía de la capital.
26. Elisa Rojas tenía muchos admiradores.
27. Elisa no se casó nunca.
28. Fernando Vidal está muy interesado en los eventos que tienen lugar en su ciudad.
29. Cuando Pepe Noval murió, su viuda siguió trabajando en la compañía de Petra.
30. Ramón murió en África.

› Lee el siguiente texto y subraya las ideas principales:

Entonces, Candonga, que dejaba el teatro, muy nervioso, ofreció a la reina su blanca mano, su blanca harina y los sacos del tío

Romualdo… y todo lo que él podía valer en Grijota. Al final, se le declaró. Él le ofrecía una felicidad segura lejos del público, de los trajes, de los artistas y de los músicos.

› Relaciona cada palabra o expresión con su definición:

N.º	Palabra/Expresión
1	Admiración
2	Epílogo
3	Galán
4	Echar a perder
5	Tener apego
6	Albañil
7	Viejo verde
8	Manicomio
9	Agonía
10	Sustituto

Opción	Definición
a	Última parte de una obra literaria en la que se hace la conclusión.
b	Estropearse algo o alguien en sentido literal o figurado.
c	Tener estima o sentir preferencia por algo o alguien.
d	Momento antes de morir.
e	Hombre atractivo y con buena presencia.
f	Hombre mayor que manifiesta deseos sexuales por mujeres más jóvenes.
g	Persona que se dedica a la construcción de edificios.
h	Que hace algo en lugar de otra persona.
i	Consideración especial que se tiene a algo o a alguien por sus cualidades.
j	Hospital para locos.

› Tacha la palabra que no guarde relación con el significado de las demás:

a) Profesores, enseñanza, director, instituto, sueño.
b) Catedral, bandera, obispo, oración, cruz.
c) Soñador, envidioso, gracioso, caro, justo.
d) Viajar, odiar, amar, sentir, enamorarse.
e) Actriz, dramático, policía, compañía, público.

› Agrupa las palabras listadas a continuación con cada una de las siguientes categorías:

Palco, distraído, satisfacción, uniforme, sombrero, cura, amistad, valiente, butaca, escenario, cariño, callado, paciencia, amor, manga, cristianismo, capilla, auditorio, humilde, ensayo, traje, santo, vergüenza, iglesia, modesto, cómico, altar, ambición, tacones, orgullo, tristeza.

Carácter y personalidad	Sentimientos y estados de ánimo	Ropa, calzado y complementos	Religión	Cine y teatro

› Completa los textos siguientes con las expresiones que aparecen en el recuadro:

Texto 1:

Llegó junto a una iglesia. .... abierta. Entró, anduvo .... el altar mayor. .... le dijo nada. ...... sacristán pasó a su lado. ...... miró sin sorpresa por su presencia, ... desconfianza, como a uno más.

nadie / estaba / un / hasta / sin / le

Texto 2:

.... al teatro para huir de la soledad de la posada y por costumbre. Por seguir y escuchar a todos los cantantes de la compañía, ... para ella eran fríos .... indiferentes. Estaba .... desde pequeña a .... lo mismo.

hacer / acostumbrada / iba / e / aunque

Texto 3:

No ...., no digiero, soy ...., no creo, no espero... no odio... no me vengo... Matadme si ...., pero respetad la ...., que es .... depósito de carbón para el espíritu del porvenir.

biblioteca / queréis / un / pobre / duermo

› Relaciona cada palabra de la columna izquierda con los sinónimos y antónimos que le correspondan en la columna derecha:

Lista de palabras	Sinónimos y antónimos
afecto borracho humilde ofender perjudicar sobrar resignación	alabar bebido beneficiar cariño dañar desprecio enojo exceder faltar insultar modesto rebeldía serenidad soberbio sobrio tolerancia

› Respuestas al cuestionario:

1. Chiripa antes era mozo de cordel, pero ahora solo trabaja cuando necesita algo de dinero. Prefiere vivir de limosnas a trabajar.
2. Porque en la ciudad hay una tormenta y así se resguarda de la lluvia.
3. Chiripa es sincero, aunque lo que encuentra en la iglesia no es exactamente a Dios, sino la *alternancia* que tanto buscaba. En la iglesia hay un cura que lo trata como un igual, que se interesa por él. Incluso lo hace pasar delante de las señoritas que están en la cola del confesionario. La actitud del cura conquista el corazón de Chiripa.
4. Era un trato familiar y cercano. El duque, un hombre de la nobleza y de la alta sociedad, trataba como a iguales a los criados y a los agricultores.
5. Para don Diego los criados eran gente de una clase social más baja, y por tanto inferiores. Los trataba con distancia y desprecio.
6. Porque en otro tiempo había perdido un brazo y una pierna, y ahora su cuerpo parecía ser una sola pieza.
7. Entró porque un día la compañía de teatro donde trabajaban sus padres necesitaba a una niña.
8. Son la misma persona.
9. Candonga puso su traje a un espantapájaros y Marcela dio el suyo a su criada para los Carnavales.
10. Él le envío una nota que decía "mi divino imposible".

11. Elisa encuentra la tumba de su admirador, *el viejo verde*.
12. En la ciudad, los socialistas o anarquistas han organizado una revuelta contra las autoridades.
13. Vidal quiere demostrar que no hay una gran diferencia entre su condición de trabajador intelectual y la de ellos, trabajadores manuales. Ambos trabajan por un jornal o sueldo.
14. Porque todos acusan a Vidal de ser el jefe del grupo.
15. Porque cuando actuaba su voz sonaba grave y áspera.
16. A Fernando y a Petra.
17. Porque Baluarte ejercía su profesión de crítico renunciando a sus deseos, afectos o intereses; como si fuera un sacerdote.
18. Le sustituyó para que el padre de Eleuterio perdonase a su madre las deudas que tenía contraídas con el terrateniente.
19. Recibió un disparo sin importancia, pero en el hospital murió de fiebres, de cansancio y de tristeza.
20. Fue a Marruecos, a la guerra, y sustituyó a Ramón como soldado, usando su nombre.

› ¿Verdadero o falso?

1. Falso
2. Falso
3. Falso
4. Falso
5. Falso
6. Verdadero
7. Falso
8. Falso
9. Falso
10. Falso

› Ideas principales:

Entonces, Candonga, que dejaba el teatro, muy nervioso, ofreció a la reina su blanca mano, su blanca harina y los sacos del tío Romualdo... y todo lo que él podía valer en Grijota. Al final, se le declaró. Él le ofrecía una felicidad segura lejos del público, de los trajes, de los artistas y de los músicos.

› Palabras y definiciones:

1 ▸ I 2 ▸ a 3 ▸ e 4 ▸ b 5 ▸ c
6 ▸ g 7 ▸ f 8 ▸ j 9 ▸ d 10 ▸ h

› Palabras que no guardan relación con las demás:

a ▸ sueño; b ▸ bandera; c ▸ caro; d ▸ viajar; e ▸ policía

› Palabras agrupadas por categorías:

Carácter y personalidad	Sentimientos y estados de ánimo	Ropa, calzado y complementos	Religión	Cine y teatro
distraído callado modesto humilde valiente	satisfacción amor vergüenza cariño amistad orgullo tristeza ambición paciencia	sombrero traje tacones uniforme manga	cristianismo iglesia capilla santo altar cura	ensayo palco escenario butaca auditorio cómico

Solución a los textos con huecos:

Texto 1:

Llegó junto a una iglesia. Estaba abierta. Entró, anduvo hasta el altar mayor. Nadie le dijo nada. Un sacristán pasó a su lado. Le miró sin sorpresa por su presencia, sin desconfianza, como a uno más.

Texto 2:

Iba al teatro para huir de la soledad de la posada y por costumbre. Por seguir y escuchar a todos los cantantes de la compañía, aunque para ella eran fríos e indiferentes. Estaba acostumbrada desde pequeña a hacer lo mismo.

Texto 3:

No duermo, no digiero, soy pobre, no creo, no espero… no odio… no me vengo… Matadme si queréis, pero respetad la biblioteca, que es un depósito de carbón para el espíritu del porvenir.

Palabras con sus sinónimos y antónimos:

Palabra	Sinónimos	Antónimos
Afecto	Cariño	Desprecio
Borracho	Bebido	Sobrio
Ira	Enojo	Serenidad
Humilde	Modesto	Soberbio
Ofender	Insultar	Alabar
Sobrar	Exceder	Faltar
Resignación	Tolerancia	Rebeldía
Perjudicar	Dañar	Beneficiar

Textos originales disponibles en versión electrónica

La versión electrónica de los cuentos incluidos en esta selección se puede encontrar en: http://es.wikipedia.org/wiki/Leopoldo_Alas_«Clarín»

Más sobre Leopoldo «Alas» Clarín

La Biblioteca de Autor de la *Biblioteca Virtual Miguel de Cervantes* dedica un completo espacio a Clarín con información biográfica, estudios críticos, fonoteca, etc. La galería de imágenes incluye vídeos de entrevistas a diferentes especialistas, con un apartado específico en torno a sus cuentos: http://www.cervantesvirtual.com/bib/bib_autor/clarin/

En el *Centro Virtual Cervantes* se puede encontrar el catálogo de la exposición *Clarín 100 años después: un clásico contemporáneo*: (http://cvc.cervantes.es/actcult/clarin/catalogo) y las actas del congreso *Clarín, espejo de una época*: (http://cvc.cervantes.es/literatura/clarin_espejo/default.htm), organizados en 2001 con motivo del centenario de la muerte del autor.

Más sobre los Cuentos

«Clarín, el arte de narrar cuentos», de Gloria Baamonde Traveso, en: http://dialnet.unirioja.es/servlet/articulo?codigo=299389

«La poesía y el cuento», de Mariano Baquero Goyanes, en http://bib.cervantesvirtual.com/FichaObra.html?Ref=8828

Otras páginas

En las páginas *El poder de la palabra* (http://www.epdlp.com) y *Escritores.org*, se pueden encontrar breves noticias sobre su vida y su obra

En Wikipedia

http://es.wikipedia.org/wiki/Leopoldo_Alas

GLOSARIO

Español	Inglés	Francés	Alemán	Italiano	Portugués
Admirador	Admirer	Admirateur	Bewunderer	Ammiratore	Admirador
Agonía	Agony	Agonie	Untergang	Agonia	Agonia
Agradecida	Grateful	Reconnaissante	dankbar	Grata	Agradecida
Alabar	Praise	Louer	loben	Lodare	Apelidar
Antepasado	Ancestor	Ancêtre	Vorfahren	Antenato	Antepassado
Apasionado	Passionate	Passionné	Anhänger	Appassionato	Apaixonado
Apestarse	Infect (illness)	Puer	s. bestinken	Impuzzolentire	Empestar-se
Apodo	Nickname	Surnom	Spitzname	Soprannome	Alcunha
Bautismo	Baptism	Baptême	Taufe	Battesimo	Baptismo
Bendito	Saint	Béni	gutmütiger Trottel	Santo	Bendito
Blasfemia	Blasphemy	Blasphème	Gotteslästerung	Bestemmia	Blasfémia
Bravo	Bravo	Brave	mutig	Valoroso	Bravo
Burla	Make fun (of sth or sbd)	Moquerie	Spaß	Beffa	Burla
Butaca	Seat	Fauteuil	Sessel	Poltrona	Poltrona
Canas	White hair	Cheveux blancs	weiße Haare	Canizie	Cãs
Carbón	Coal	Charbon	Kohle	Carbone	Carvão
Cerradura	Lock	Serrure	Schloss	Serratura	Fechadura
Certamen	Competition	Concours	Wettbewerb	Concorso	Certame
Consuelo	Comfort	Consolation	Trost	Consolazione	Consolo
Cría	Litter (brood)	Petit	Junge	Cuccioli	Cria
Criado	Servant	Domestique	Diener	Servitore	Criado
Defraudar	Disappoint	Frauder	betrügen	Deludere	Defraudar
Derramado	Spilt	Versé	vergossen	Versato	Derramado
Dignamente	With dignity	Dignement	würdig	Degnamente	Dignamente
Disculpar	Forgive	Excuser	entschuldigen	Scusare	Desculpar
Disparate	Foolish remark	Sottise	Unsinn	Sproposito	Disparate
Elogio	Praise	Eloge	Lob	Elogio	Elogio
Embarcar	Sail, embark	Embarquer	an Bord gehen	Imbarcare	Embarcar

Español	Inglés	Francés	Alemán	Italiano	Portugués
Encoger	Shrink	Contracter	zusammen-ziehen	Rattrappire	Encolher
Entusiasmar	Get enthusias-tic, excited	Enthousiasmer	begeistern	Entusiasmare	Entusiasmar
Esforzado	Made an effort	Efforcée	angestrengt	Sforzato	Esforçado
Espina	Thorn	Épine	Stachel	Spina	Espinha
Fingir	Pretend	Feindre	vortäuschen	Fingere	Fingir
Fonético	Phonetic	Phonétique	Ton-	Fonetico	Fonético
Fósforo	Match (for fire)	Allumette	Streichholz	Fiammifero	Fósforo
Frívolo	Frivolous	Frivole	frivol	Frivolo	Frívolo
Fusil	Rifle	Fusil	Gewehr	Fucile	Espingarda
Fusilar	Shoot	Fusiller	erschießen	Fucilare	Fuzilar
Galán	Handsome man	Bel homme	Galan	Attore giovane	Galã
Glorioso	Glorious	Glorieux	glorreich	Glorioso	Glorioso
Heredero	Heir	Héritier	Erbe	Erede	Herdeiro
Heroico	Heroic	Héroïque	heroisch	Eroico	Heróico
Ídolo	Idol	Idole	Idol	Idolo	Ídolo
Improvisado	Improvised	Improvisé	improvisiert	Improvvisato	Improvisado
Inadecuada	Inadequate	Inadéquate	ungeeignet	Indaguata	Inadequada
Incienso	Incense	Encens	Weihrauch	Incenso	Incenso
Inscripción	Inscription	Inscription	Inschrift	Iscrizione	Inscrição
Insoportable	Unbearable	Insupportable	unerträglich	Insopportabile	Insuportável
Inspirado	Inspired	Inspiré	inspiriert	Ispirato	Inspirado
Intuición	Intuition	Intuition	Intuition	Intuizione	Intuição
Ironía	Irony	Ironie	Ironie	Ironia	Ironia
Jaleo	Racket (noise)	Raffut	Krach	Baldoria	Barulho
Látigo	Whip	Fouet	Peitsche	Frusta	Chicote
Lema	Motto	Devise	Motto	Motto	Lema
Maldito	Damned	Maudit	Verdammt	Maledetto	Maldito
Malheridos	Badly injured (people)	Blessés grièvement	Schwerver-letzte	Feriti grave-mente	Gravemente feridos

Español	Inglés	Francés	Alemán	Italiano	Portugués
Mármol	Marble	Marbre	Marmor	Marmo	Mármore
Mechón	Lock (of hair)	Mèche	Strähne	Ciuffo	Madeixa
Miserable	Mean, miserly	Misérable	miserabel	Miserabile	Miserável
Murmurar	Mutter	Murmurer	murmeln	Mormorare	Murmurar
Nobleza	Nobility	Noblesse	Adel	Nobiltà	Nobreza
Ofender	Offend	Offenser	beleidigen	Offendere	Ofender
Oscurecer	Get dark	Obscurcir	dunkel werden	Imbrunire	Escurecer
Paja	Straw	Paille	Stroh	Paglia	Palha
Palco	Box (theatre)	Loge	Loge	Palco	Palco
Partícula	Particle	Particule	Teilchen	Particella	Partícula
Partitura	Score, sheet music	Partition	Partitur	Partitura	Partitura
Patriótico	Patriotic	Patriotique	patriotisch	Patriottico	Patriótico
Pecador	Sinner	Pécheur	Sünder	Peccatore	Pecador
Penitente	Penitent	Pénitent	Büßer	Penitente	Penitente
Perla	Pearl	Perle	Perle	Perla	Pérola
Perversa	Wicked	Perverse	pervers	Perversa	Perverso
Porción	Piece	Part	Portion	Porzione	Porção
Portal	Doorway	Entrée	Portal	Portone	Portal
Prosa	Prose	Prose	Prosa	Prosa	Prosa
Protector	Protector	Protecteur	Beschützer	Protettore	Protector
Provecho	Profit, benefit	Profit	Gewinn	Profitto	Proveito
Ración	Portion	Portion	Ration	Razione	Ração
Rascar	Scratch	Gratter	kratzen	Grattare	Coçar
Refugiado	Refugee	Réfugié	sich in Sicherheit bringen	Rifugiato	Refugiado
Repentino	Sudden	Soudain	plötzlich	Improvviso	Repentino
Reprimir	Suppress, hold back	Réprimer	unterdrücken	Reprimere	Reprimir
Retirada	Retreat	Retraite	Rückzug	Ritirata	Retirada
Ridículo	Ridiculous	Ridicule	lächerlich	Ridicolo	Ridículo
Rítmica	Rhythmic	Rythmique	rhythmisch	Ritmica	Rítmica

Español	Inglés	Francés	Alemán	Italiano	Portugués
Rutina	Routine	Routine	Routine	Tran tran (routine)	Rotina
Santuario	Sanctuary	Sanctuaire	Tempel	Santuario	Santuário
Silbar	Whistle	Siffler	verraten	Fischiare	Assobiar
Sufragio	Suffrage, (the right to) vote	Suffrage	Wahlrecht	Suffragio	Sufrágio
Suplicar	Beg, plead	Supplier	anflehen	Supplicare	Suplicar
Suspirar	Sigh	Soupirer	seufzen	Sospirare	Suspirar
Sustituto	Substitute	Remplaçant	Ersatzperson	Sostituto	Substituto
Tejado	Roof	Toit	Dach	Tetto	Telhado
Tiritar	Shiver	Grelotter	zittern	Tremare	Tiritar
Traidor	Traitor	Traître	verräterisch	Traditore	Traidor
Tregua	Truce	Trêve	Waffenstill-stand	Tregua	Tréguas
Vestuario	Dressing room	Costumes	Kleider	Abbigliamento	Vestuário
Zapatero	Shoemaker, Cobbler	Chausseur	Schuster	Calzolaio	Sapateiro